講談社文庫

琵琶湖周航殺人歌

内田康夫

講談社

目次

琵琶湖周航殺人歌

プロローグ

1

(裸で寝ちゃおう――)

史絵(ふみえ)は、男の子がいたずらの対象を見つけたように、両手をパチンと合わせ、「クスクス」笑い声を洩らしながら、ベッドに上がった。裸のままで寝るなんて生まれてはじめての経験――もちろん、赤ちゃんのころは知らないけれど、物心ついてからはじめての経験であることは間違いない。

たったそれだけのことなのに、なんだか物凄い罪悪を犯しているような、心ときめくような喜びを感じた。

東京を発(た)つときから、いい旅になりそうな予感はしていた。

琵琶湖畔にできたばかりの超高層ホテルを選んだのも成功だった。琵琶湖の南端をかすめる国道一号線から、湖に向かって入り込んだ広大なスペースに建った、地上三十八階の、ガラスに覆(おお)

われたスカイブルーのビルである。最上階のラウンジが「トップオブオーツ」というように、むろん琵琶湖畔随一の高さを誇る。

広々としたコンコースから、大理石を敷き詰めたロビーまではほとんどフラットで、そのまま背後の湖面まで続いているような開放感がある。建物の、湖側に面した壁がかまぼこ型をしていて、どの客室からも百八十度以上の眺望が楽しめるような設計も、リゾート型ホテルとして申し分なかった。

部屋の外の空間は、はるかに霞む対岸まで、視界を遮るものは何もない。時折、ゆったりと舞うシラサギが、眼下を横切ってゆくくらいなものだ。

女性の独り旅は、いつも男たちの好奇の目に晒されるけれど、ここなら、何をしようと自由気儘でいられる。

レストランで独りきりの夕食をすませ、バスを使ったあと、史絵はタオルで体を隠すこともせず、カーテンをいっぱいに開けた。

部屋の照明を消すと、琵琶湖を囲む街あかりが蛍火のように揺れて、夢幻の世界に誘ってくれる。

あまり飲みもしないのに、気取って封を開けたブランデーの芳醇な香りが、体にまつわりつくように漂う。月は出ていないのに、星明かりか、それとも遠い街の灯のせいか、闇の中にぼんやり浮かぶ自分の裸身を、史絵はひそやかな陶酔に浸りながら楽しんだ。

この美しい裸身をむさぼる男が、いつの日にか現れるなんて、そんなおぞましいことは信じたくない。そのくせ、熟れた果実が鳥のついばみを待つような甘い欲望が、史絵の奥深いところで疼くような気もする。

裸のままベッドに横たわると、ベッドを覆ったシーツと毛布をくるんだシーツの、ひんやりした木綿の肌ざわりが心地好かった。白い無垢の世界に横たわる、穢れなき処女——なんてことを想ったりもした。

ベッドが、体の火照りに染まってゆくのを確かめながら、史絵はゆっくりと枕に顔を伏せた。

そのとき、史絵の耳にかすかな歌声が聞こえてきた。男の、まるで念仏を唱えるような低い歌声であった。

（いやだな——）と史絵は思った。こんなところまで来て、下手な演歌なんか聞きたくもない。

史絵はカラオケが嫌いで、ことに会社の旅行の宴会で、マイクを放さずに、手拍子を強要したりする男どもは、吐き気がするほど嫌いだ。

せっかくの独り旅の夜ぐらいは、心の領域に侵入してもらいたくない。

男の唸るような歌声は、どこかで聞いたことのあるような、古いタイプの演歌調であった。

……オールそろえて　さらばぞと

……しぶきに消えし　若人よ

(何の歌かしら？——)

史絵は頭をもたげた。とたんに歌声は止(や)んだ。歌は終わったらしい。ほっとして枕に耳をつけたとたん、また歌は聞こえた。

……………

きみはうみの子　かねてより
覚悟の胸の　波まくら
小松ケ原の　紅椿
みたまを守れ　うみの上

(へんな歌——)

歌は終わったらしい。やれやれ——と思ったとたん、また始まった。低い、ザワザワと潮が寄せてくるような、陰気な歌だ。

遠く霞むは、彦根城
波に暮れゆく　竹生島(ちくぶ)

……………

どうやら、琵琶湖の風景を読み込んである歌詞らしい。

(うるさいなあ――)

史絵は枕から耳を離し、仰向けになった。いつもはこうすると眠れない。右か左か、どちらかを下にして、上になった掌(てのひら)でベッドの感触を確かめながら、眠る。

仰向いた後頭部に歌声が囁(ささや)いた。

……………

オールそろえて　さらばぞと

しぶきに消えし　若人よ

……………

(何なの、これ？　誰かが死んだの？――)

歌詞の中身が分かってくるにつれて、なんとも薄気味のわるい歌だった。

史絵は身を起こした。毛布が肩から落ちて、乳首にかすかな痛みを感じた。

歌声は聞こえなくなっていた。闇の中で瞳を凝(こ)らしても、冷蔵庫のモーターが「ジー」という、かすかな音を立てているほかは、何も聞こえない。

(どこの部屋かしら？――)

両隣の壁に耳を寄せても、何も聞こえない。なのに、腹這いになって枕に耳を押し当てると、ちゃんと歌声は聞こえた。枕の中で歌っているように聞こえた。しかし、枕からほんの一ミリでも耳を離すと、ふっと静寂に戻る。

史絵はゾーッとして、ベッドの上を後ずさりした。白いシーツの上に少し歪んだ恰好で載っている枕が、悪魔のように思えた。澱んだ闇の中に、いまにも枕が起き上がって、襲ってきそうな恐怖を感じた。

ベッドの脇の小さなテーブルの上で、デジタル時計の数字が変わった。その隣に電話がある。よっぽど、フロントに電話して、このことを知らせるべきか――と思った。

しかし、考えてみると、ばかげたことと笑われそうな話だ。枕に頭をつけたら、歌声が聞こえたなんて――。

史絵は受話器に伸ばしかけた腕を下ろした。そしておそるおそるベッドの上の枕を取って、ゆっくり耳に当ててみた。

当たり前のことながら、やっぱり歌声は聞こえなかった。史絵は今度は、枕のあったベッドにじかに耳を当ててみた。

(あ、聞こえた――)

…………

三井の晩鐘　音絶えて

なにすり泣く　浜千鳥
…………

何のことはない、歌声はベッドの下——つまり階下の部屋から床を伝わり、ベッドを伝わって聞こえてくるのだ。

史絵は腹が立つより、むしろおかしかった。幽霊の正体見れば——というけれど、あんな陰々滅々とした歌を歌うのは、どんな顔をした幽霊なのか、階下の客の顔を見てやりたかった。とはいえ、いつまでもあんな歌を歌われていては、たまったものじゃない——という気はあった。

史絵はフロント係に電話して、階下の歌を止めるよう、頼んでもらいたいと話した。フロントは案外あっさりと頼みをきいてくれた。それからしばらくのあいだ、耳をベッドに押し当て、下の気配を聞いていると、まもなくチャイムが鳴って、人の話し声が聞こえ、歌は止んだ。

そういう物音も、ベッドを離れると何も聞こえないのであった。音の伝わる仕組みというのは、不思議なものだ——と、史絵は妙なことに感心させられた。

ブランデーのせいか、よく眠れ、気分のいい目覚めであった。カーテンをいっぱいに開けると、窓の外にはうっすらと、ミルク色の朝もやが流れ、比叡山や比良山から湖北に連なる山々が、まだ眠そうに霞んでいる。

見下ろすと紺碧の湖面には、もういくつものヨットが浮かび、南風に乗って長浜の方角へ滑って行った。

着替えをすませ、靴を履いて遅い朝食に行こうとした矢先に、ドアをノックする音が聞こえた。

ドアミラーを覗くと、初老の紳士が立っていた。紺色のサマースーツを着て、薄いグレイのネクタイをきちんと締めている。視線をやや上に向け、ほとんど直立不動のような恰好だ。やや面長で、鼻筋の通った、割と上品な顔立ちをしている。もちろん、知らない顔である。

紳士の背後を、若いカップルがすり抜けて通ったのを見て、史絵はドアを開けた。

「や、どうも、お邪魔します」

紳士は丁寧に頭を下げた。

「はい……」

史絵も要領を得ないまま、仕方なくお辞儀を返した。

「この下の部屋に泊まっておる者です」

「ああ……」

「昨晩は失礼をいたしました」

紳士はまた頭を下げた。

「あ、いえ、こっちこそ……」

史絵はうろたえた。年輩の紳士にこんなふうに謝られるなんて、思ってもいなかったことだ。

「すみません、せっかく気分よく歌っていらっしゃったのに……」

「ははは、いや、お恥ずかしい。いささかアルコールが入りましてな、誰も聞いてはおるまいと安心して、下手な歌を歌ってしまいました。これはほんのお詫びのしるしです。どうぞ、ご気分を直して、いい旅をおつづけいただきたい」

紳士はそう言って、背中に隠していたバラの花束を差し出した。史絵が大好きな、真紅(しんく)のバラであった。

「まあ、きれい……」

史絵は思わず手を伸ばしかけて、あやうく思いとどまった。

「でも、そんなこと……」

「いやいや、お受け取りください。そうでもないと、小生の気がすみません。どうぞどうぞ……」

紳士はまるで押しつけるように花束を手渡すと、もう一度お辞儀をして踵(きびす)を返した。

「あの……」

史絵は呼び止めた。紳士は「?」というふうに小首をかしげて振り向いた。

「昨夜、お歌いになっていた歌、あれは何の歌ですの?」

「ああ……」

紳士は照れくさそうに笑い、頭を掻(か)いた。

「いまどきのお若い方は、あんな歌、ご存知ないでしょうなあ。しかし、私にとっては格別な想いのこもった歌でありましてな。毎年、お盆には、独りでここに来て、お経がわりに歌うことにしておるのですよ」

「お経がわり？……」

史絵は、昨夜の歌の陰々滅々とした印象を思い出した。そういえば、たしかに紳士の言うとおり、お経のように聞こえなくもなかったのだ。

「ははは、どうも、愚にもつかない話をお聞かせしてしまった。では、失礼」

紳士は背を向け、ひょうひょうとした歩き方で廊下を去って行った。

2

その日の夕方、史絵は浜大津港の桟橋から、琵琶湖湖上めぐりの観光船に乗った。アメリカのミシシッピー河名物の外輪船を、そっくり再現した船だそうだ。

船尾についた巨大な羽をもつ水車が、ダッダッダッ……と、たいそうな音を立てて水を撥ね上げると、音のわりにはのんびりと、船は走りだした。

甲板もキャビンも、映画でしか知らない本場の船そのままだ。しかも、船員からボーイにいたるまで、ほとんどがアメリカ人だから、まるでアメリカツアーのような気分が味わえるという宣伝文句に嘘はなかった。

広いキャビンはレストランになっている。湖上を走りながら、夜の湖岸の風景を眺め、船上レストランでのディナーと、デキシーランドジャズの生演奏を楽しもうという趣向である。

日が落ちるころ、食事が始まる。アメリカからの留学生だという、若いハンサムな青年や、すてきなブロンド娘たちが、陽気な笑顔でサービスをしてくれる。ひとりぼっちの史絵には、背の高い青年が片言の日本語で話しかけて、こまやかに気を使ってくれた。

船はゆっくりと進み、ガイドのアナウンスが、つぎつぎに変わる風景の説明をする。唐崎、坂本、雄琴、堅田と湖西岸に沿ってゆき、そして、琵琶湖大橋でUターンして、帰路はやや湖東寄りの航路を取って戻る。

堅田を過ぎるあたりで、ガイドは琵琶湖の歴史に残る哀話のことを説明した。

昭和十六年四月六日のことでございます。この日は朝のうちは天気もよく、琵琶湖は波も静かでしたが、昼前ごろから小雪まじりの比良山おろしが吹き出し、やがて湖面に波が出はじめました。

当時、琵琶湖には、まもなく行われる、全国学生ボート大会に備え、各地の学生たちが集まって、訓練に励んでおりましたが、その中の金沢の第四高等学校のボート部員十一人が、この朝、悪天候を衝いて、長浜から石山へ向かって漕ぎ出したのでございます。

ガイドはなかなかの名調子であった。思わず食事の手を休めて、耳を傾けたくなる。

第四高等学校——略して「四高」は、現在の金沢大学の前身。そのボート部員十一名が琵琶湖で遭難、全員が死亡した事件の話である。

昭和十六年といえば、史絵の両親が生まれたころの話だ。親なんて、昔から親のままのような気がして付き合っているけれど、両親が生まれたころ、すでに学生だった人がいて、この琵琶湖でボートを漕いだりしていたのだ。親たちも青春していた時代があったのだなあ——と、史絵の想像はあらぬほうに広がった。

ガイドは遭難事件のことを説明し、その悲劇を歌った歌を紹介した。

あまりいい音質ではなかった、その歌が流れ出したとき、史絵はワーグナーの序曲を聞いたとき以上のショックを受けた。

その歌、「琵琶湖哀歌」の全曲はつぎのようなものであった。

一、遠くかすむは　彦根城
波に暮れゆく　竹生島(ちくぶ)
三井(みい)の晩鐘　音絶えて
なにすすり泣く　浜千鳥

二、瀬田の唐橋(からはし)　漕ぎぬけて
夕陽の湖(うみ)に　出で行きし
雄々しき姿よ　今いずこ

ああ青春の　唄のこえ

三、比良(ひら)の白雪　溶けるとも
風まだ寒き　志賀の沖
オールそろえて　さらばぞと
しぶきに消えし　若人よ

四、君は湖(うみ)の子　かねてより
覚悟の胸の　波まくら
小松ケ原の　紅椿
御霊(みたま)を守れ　湖(うみ)の上

メロディーはゆったりしたワルツ調に乗せた、古いタイプの歌謡曲といったところだ。「真白き富士の嶺」と「琵琶湖周航の歌」をミックスした――といえばイメージが髣髴(ほうふつ)とするかもしれない。

七五調の、言葉は易(やさ)しいが、ちょっと時代おくれの歌詞だ。それに、固有名詞も多いから、耳から入っただけでは、どんな字を書くのかピンとこない部分もないことはない。

それはまさに、昨夜、切れぎれに聞かされた、あのお経のような陰気な歌であった。

その歌のいわれ因縁を聞いてみれば、なるほど、お経のように思えたのも当然かもしれない。

　オールそろえて　さらばぞと
　しぶきに消えし　若人よ

　目を閉じれば、ありありと脳裏に浮かびそうな情景ではあった。春なお浅い比良の山おろしに脅え波立ち騒ぐ冷たい湖に、オールもろとも沈んでゆく学生たちの最期が見えてくる。


スピーカーから流れ出る歌は、恨みを込めた水底の歌のように聞こえた。

（この歌だったのね——）

そう思いながら、史絵は、あの初老の紳士がこの歌を歌っていた理由に興味をそそられた。

——毎年お盆にはここに来て、この歌を歌うのですよ。

たしか、そんなことを言っていた。

歳恰好からいって、悲劇のあったころ、まさに学生だったのかもしれない。ひょっとすると、第四高等学校の学生か、同じボート部員だったとも考えられる。

それから半世紀になろうというのに、あの紳士は、青春時代の悲劇を、いまだに引きずっているのだろうか——。

史絵はちょっぴり、厳粛なものを感じた。自分のこれまでの人生に、そんなふうに、いつまでも引きずっていなければならないような出来事なんか、何もありはしない。

平凡な両親のあいだに生まれた、平凡な女の子として育ち、ほんの少し美貌で、ほんの少しエキセントリックなところはあるけれど、まずまず世間なみの娘ではあるらしい。たぶんこのまま、平凡な結婚をして、母親と同じように平凡な生涯を歩むことになるにちがいない。

会社に入って三ヵ月ちょっと。五月病にはかからなかったが、このところの史絵は、胸の奥に、まるで湖面に光る漣のように、ざわざわと苛立つものの気配があるのを感じていた。

先輩や一緒に入社した男性たちの中には、本気か冗談か、もう言い寄ってくる者が少なくない。中には「会社なんか辞めて、おれと結婚してくれよ」などと、露骨に口説く者だっている。いったい女性を何だと思っているのだろう――こっちは、いっぱしのビジネスウーマンとして、男性に伍してやってゆく覚悟なのに。

もっとも、女性の中にも裏切り者はいる。最初からウの目タカの目で、見込みのある男性社員を物色する女性が多いのも事実だ。

(でも、私は違う道を行くのよ――)

史絵はそう自分に言い聞かせている。たった一度の人生だもの――と、心に旗をたてたつもりだ。

しかし、そうは思っていても、ときには「平凡」の誘惑に負けそうになる。何もせず、周囲に波風を立てず、平凡でいることは、あたたかい揺り籠に眠るように心地好いものなのだ。肩肘張って、積極的に自分の意見を述べたあとなど、男性社員に、「かわゆくないね」などと、面と向かって言われると、ほんとうに悲しくなる。

休暇を取って、ふっと独り旅に出たのは、多少はそういう緊張の日々から逃げ出したい気持ちからかもしれない。しかし、史絵にしてみれば、孤独でいることの試練に耐えようという、大袈裟にいえば修行の目的からでもあるのだ。

上甲板でバンド演奏が始まったらしい。陽気なデキシーランドジャズが、テーブルの上のグラスを震わせるほどのボリュームで聞こえてくる。

あの「哀歌」はとっくに終わっていた。

一つの時代が、唐突に変わるように、一つの人生が一瞬で消えるように、賑やかな音楽が始まった。

父や母にあった青春。

あの初老の紳士にもあった青春。

青春まっただ中で消えた、ボート部員たちの青春。

そして私の青春——。

暗い湖面が過ぎてゆくように、気付かないうちに通り過ぎる青春。

史絵はなんだか、ふっと悲しくなった。

第一章　死にかけた湖

1

鬱陶しい梅雨空の下だというのに、守山市の街という街は、地元からの首相誕生のニュースで沸き返っていた。

祝祭日でもないのに、軒先に日の丸を立てる家も少なくない。雨に濡れそぼった旗が、重く垂れ下がる先スレスレをかすめるように、広岡友雄の遺体を乗せた霊柩車が通って行った。

五台の乗用車とマイクロバスが一台、それに従った。葬祭場まで野辺の送りに参加する人数は三十人を下るまい。葬列としてはまずまずの陣立てといっていい。

霊柩車の助手席には、広岡の妻・順子が遺影を抱いてひっそりと座っていた。

街角を曲がるときに、最後尾のマイクロバスからも、どうかすると順子の斜め後ろの顔が見えた。そのつど、横沢は瞳を凝らして、順子の表情を読み取ろうとした。

喪服姿の順子は葬儀のときも、出棺のときも、能面のように眉ひとつ動かさなかった。青ざめた顔は正面を向いているけれど、視線はずっと下に落としたままだった。憂いを帯びた長いまつげで瞳の奥の心の動きを隠しているように見えた。

喪主である順子には、入れ代わり立ち代わり、悔やみの客が接近した。その中でもとくに親しげな男どもに、横沢は注意を払った。男たちが順子にかける慰めの言葉ひとつにも、何か事件の背景を物語る秘密が隠されているかもしれない。

順子はあくまでも言葉少なく、悲しみにうちひしがれている姿を演じきった。少なくとも、横沢は彼女のそれが演技であると信じ込んだ。そうでなければならない――と思うことにした。横沢に言わせれば、順子には明らかな動機があった。不倫と金である。どちらも、唾棄すべきものだ。しかも、不倫の相手は、夫の親友・相川勇志に決まっている。

火葬場の窯に火が入ると、煙突から黒くしかも透明な煙が立ち昇った。煙は地上の風景まで溶け込みそうな低い雲に、無抵抗に吸い込まれていった。

「穏やかな、真っ直ぐな煙やなあ」

誰かがしみじみとした口調で言った。

「広岡さんはええお人やったものなあ、真っ直ぐほとけさんにならはるのやろ」

そんなことがあってたまるものか――と、横沢はいっそ、言ってやりたかった。

広岡は毒の入ったコーヒーと一緒に、万斛の恨みを飲んで死んだはずだ。

事件の第一報が守山警察署に入ったのは、夜中の十一時過ぎのことであった。

横沢はその日当直で、仮眠室の簡易ベッドの上でトロトロしかけたところに、佐藤刑事が呼びに来た。

「消防署からの連絡で、変死だそうです」

「変死？　どこや？」

「吉身です」

短いやりとりをしながら身支度を整え、駆け足でパトカーへ向かった。

吉身町というのは守山市の東南域、市役所や公民館、各種出先機関等があり、いわば行政の中心部である。警察署のある守山町とは地つづきだ。

守山市は旧中山道沿いの宿場町であったところで、古くから交通の要衝として栄えた。織田信長、豊臣秀吉から徳川幕府にいたるまで、為政者は制札を出して守山を保護している。幕末のころの守山の「花市」は、大坂の天満、難波、京都の四条、五条にも劣らない繁栄ぶりだったといわれる。

しかし、いまの守山市を見るかぎり、ただ、湖東の平坦な土地の上に広がる、特徴の乏しい田舎町といった雰囲気である。

近江や琵琶湖の観光ガイドブックには、附近の近江八幡市や安土町などは、けっこう詳しく紹介されているのに、守山市についての記述はまったくないといっていい。稀にあるとすれば、せいぜい琵琶湖大橋の東側の付け根——程度のことしか書かれない。

その守山市がぜん脚光を浴びた。守山町の旧家から出た政治家が、突然、総理大臣に任命されるというのである。地元はもちろんだが、日本中がびっくりして、好奇と羨望とねたみに満ちた視線が、このちっぽけな地方都市に集まった。

だいたい、守山市なんて、名前も知らなかった人が多い。「おいしい大根の産地でしたか」と、大阪の守口市と混同している新聞記者もいたそうだ。

何にしても、地元にとっては、おそらく空前絶後の一大壮挙にはちがいない。明日あたりは、自然発生的に提灯行列でも出て、守山町や吉身町あたりの表通りを練り歩くのではないかという噂もあった。

そうして日本中の関心が集まった、おめでた騒ぎの矢先に、「変死事件」とは、どう考えたって、あまり歓迎されそうにない。

「めでたい話もあれば、暗い話もあるちゅうわけやな」

横沢部長刑事は年寄りじみたボヤキを言って、シートベルトを締めた。

「はあ、まったくです」

佐藤はハンドルを切りながら頷いた。近頃めずらしく、上司に従順な刑事だ。柔道が四段、剣道が三段、目玉がギョロッとして、顎が張って、一見、地上げ屋のような精悍な顔つきをした、なかなか頼りになる男だ。

守山署から現場までは、ほんの二キロ足らず。ものの五分ばかりで到着した。この車が一番乗りで、鑑識の連中はひと足遅れたらしい。

「せめて殺しでないとええけどな」

横沢は、わが愛する滋賀県のためにも、そう祈りながら、パトカーを降りた。

「変死者」は広岡友雄という会社員、現場は広岡の自宅だそうだ。

家の前には救急車が赤灯を回転させたまま停まっていた。白い上っ張り姿の職員が、横沢の顔を見て近づいてきた。

「お医者さんが中に入っております」

言ってから声をひそめて、「毒を飲んだみたいです」と囁いた。

この辺り（あた）は比較的、新しい建物が多いところだが、その中にあって、広岡家は世の繁栄から取り残されたような、木造モルタルの古い家である。

道路沿いに塀代わりのイチイの植え込みがあり、門といえるほどではない、朽（く）ちかけた木の柱のあいだを少し入ったところに、粗末なポーチらしきものがある。

巡回中に指令を受け、先着したパトカーの巡査が三名、玄関前で待機していた。その三人に保護されたかたちで、女が一人、寒そうに肩をすくめ、事実、体を震わせて佇（たたず）んでいた。

「こちらが発見者です。亡くなられた広岡さんの奥さん、順子さんといわれます」

年輩の巡査がそう言って、彼女の身柄を引き継いだ。

横沢はとりあえず、広岡順子に対する事情聴取を佐藤刑事に命じておいて、自分は家の中に入った。

玄関を入ると小さなタタキがあって、その向こうは二畳ほどの板の間。右手に行く廊下の脇には階段、その先にトイレがある。一階は廊下に面して部屋が二つ。手前の部屋は客間兼リビング、その奥はダイニングキッチンである。

ダイニングキッチンには救急隊員が二人と、警察医を担当している和田医師がいた。今年五十歳になったと聞いたが、まだ若々しくて、深夜でも遠くでも、ジープを駆ってすっ飛んで行く、ちょっとした赤ひげだ。

和田は横沢に気付いて「やあ」と手を上げた。

「服毒しているそうですね？」

横沢は挨拶代わりに訊いた。

「ああ、まちがいないな、自殺だな」

和田は断定的に言って、顎をしゃくって死者を見下ろした。

広岡友雄は、椅子を倒し、下半身をダイニングテーブルの下に突っ込むような恰好で、仰向けに横たわっていた。

和田医師の言うとおり、横沢のこれまでの経験からいっても、死因は毒物の服用によるものと判断できた。

テーブルの上にはコーヒーカップが、半分以上の中身を残して置いてあった。

カップは一個で、来客があった形跡は認められなかった。

それはつまりは、和田医師の言うように、「自殺」ということだ。

「ひどい顔をしとるなあ……」

横沢は死体の脇にかがみこんで、眉をひそめた。

広岡の顔が歪んでいるのは、単に苦痛の表情なのか、それとも、無念の形相であるのかは分からない。

しかし横沢は、広岡の眼が閉じられていないことが、妙に気になった。ほとんど白目になっているのだが、その上端にわずかに覗いている黒目が、何かを訴えかけてくるように思えてならなかった。

「この顔を見ると、なにやら、覚悟の自殺とも思えんなあ……」

呟くように言った。理屈でなく、そう思えた。

「奥さんの話によると、発見当時は、この状態ではなかったらしい」

和田医師は、横沢の疑問に応えるように言った。

「奥さんは、ご主人が倒れているのを発見して、びっくりして駆け寄って、呼びかけたり揺すったり、最後には抱き起こそうとしたということだ」

「そうですか、しようがないな」

横沢は舌打ちをしたが、しかし、それは、夫の異変を発見した際の妻の行動としては、ごく自然な行為であり、非難するわけにはいかない。それに、発見した時点では、よもや、毒物を飲んでいるとは思わなかったにちがいない。

また、そうしたことによって、著しく原状が損なわれたというほどのこともないと考えられた。

順子は夫が死亡しているのを知って、ともかく一一九番に電話し、続けて隣家と知人にも連絡したのだそうだ。それで、まず救急車が駆けつけ、死亡を確認し、すぐに和田医師と警察に連絡した。

「ひと目見て、こりゃ毒を飲んだと分かったもんで、奥さんにそう言ったのだがね」

和田は具合悪そうに、しきりに目をしばたたいた。警察を差し置いて、余計なことを言ったと思っている。

「それで、奥さんは何て言いました？」

横沢は興味を惹かれ、身を乗り出して訊いた。

「じゃあ、主人は自殺したのですか——と言ったな」

「自殺……」

そのときドヤドヤと鑑識の連中がやって来た。そのあとから、刑事課長の中山警部の顔も現れた。官舎から出動してきたのだ。背後に三人の刑事を伴っている。

横沢は中山に状況を説明して、彼等にバトンタッチすると、和田医師を隣室の隅に引っ張って行った。

「カミさんがいきなり、自殺と判断した理由は何ですか？」

「それはまあ、毒物を服用しているらしいといえば、まず自殺と思うのでないかな。それに、発見当時、現場は密室だったということもある」

「密室？」

横沢はニヤリとした。和田はミステリーのファンだと聞いたことがある。

「なにやら推理小説みたいですね」

「いや、しかし、それは事実だそうだ」

和田は真顔で言った。

「ふーん、そうですか……」

それならばたしかに自殺のセンが濃厚だ。しかし横沢は何となく、気に入らない——と思った。べつに理由などありはしないが、そう思った。

2

広岡順子はパトカーの中で、佐藤刑事による事情聴取を受けていた。横沢が行くと、佐藤が出て来て、これまで聞いた話を手短に伝えた。

順子が帰宅して、夫の死亡を確認し一一九番に連絡するまでのことは、ほぼ和田医師から聞いた内容と同じであった。

ただ、最後のひと言が違った。

「奥さんは、ご主人が殺されたと言っておるのですが」

「殺された?……」

横沢は驚いた。

「先生に対しては『自殺』と言っていたのやそうやで」

「自殺——ですか？」

佐藤も呆れた顔をして、車の中を振り返った。

「どういうこっちゃ。妻君はこの家が密室状態やから、自殺やと言うとったそうやで」

「はあ、それはたしかに、奥さんは鍵を開けて家の中に入ったと言っております」

「それなのに、なんでまた殺されたと言うとるんや？」

「はあ……」

佐藤は自分に落ち度があったように思われてはかなわん——と言いたげに頬をふくらませてから、いくぶん前屈みになって、小声で言った。

「部長は、被害者の広岡友雄という名前、聞いたことはありませんか？」

「広岡友雄か……そう言われてみると、なんとなく聞いたような気もするが、何か有名人なのか？」

「はあ、自分もあまり詳しくはないのですが、琵琶湖の水を守る会のリーダー格のひとりだったと思いますが」

「ああ、そういえばそうやな、あれも広岡いうたな……しかし、その広岡と同一人物やろかな？」

「はあ、奥さんの言うところによると、どうもそのようです」

「ふーん、そうか……しかし、それがどうかしたんか？」

「それでですね、奥さんは上島総業の者に殺されたと言っておるのです」

「上島総業か……なるほど、消されたという意味やな」

横沢はジロリと広岡順子のほうに視線を送った。順子は暗い車内で、じっと俯いて、何かに耐えているように見えた。

「そらまあ、上島総業なら、あり得ない話やないと思うが……しかし、密室や言うたのは本人やで」

「はあ、それはそうですが、どうも……」

「まあ、とにかく訊いてみるか」

佐藤刑事は、順子の頑固さに手を焼いている──と言いたげだ。

横沢は車の中に入った。佐藤は助手席に座って、メモを取った。

「上島総業の者に殺られた、言わはったそうですね」

横沢は腰を落ち着けるとすぐ、ぶつけるように訊いた。

「ええ、間違いありません」

順子もためらうことなく答えた。

(気の強そうな女だな──)と、横沢は直感的に思った。

暗くてよく見えないが、白い細面の、なかなかの美人タイプらしい。髪は短めで、子供がいないせいなのか、三十八歳という実際の年齢よりも、十歳近く若く見える。横沢がそう言うと、ニコリともせず、「主人と同い年です」と、唇を噛んで言った。

「和田先生……お医者さんに聞いたのですが、奥さん、最初は自殺と言われたんとちがいますか？」

「ええ、そう思いました。薬を飲んだって聞いたものですから」

「それと、密室だった」

「ええ、そうです」

「それなのに、何でまた、殺されたいうことに変わったのです？」

「それは……主人には自殺しなければならないような理由はありませんし、それに、前から脅迫されていましたから」

「脅迫？　上島総業の連中にですか？」

「ええ、そうです……いえ、もちろん名前は言っていませんが、間違いありません」

「なるほど……それはおいておくとして、その密室の件についてはどうなのです？　間違いなく密室状態やったいうことですか？」

「ええ、間違いありません。玄関の鍵はちゃんと閉まっていました。鍵を開けて入ったことはたしかです」

「しかし、密室となると、玄関ばかりではないですけど」

「もちろん、そんなことは分かっています。でも、戸締りには注意していました。このごろ、いろいろありますから」

「いろいろというと、つまり、脅迫されたとか」

「そうです、いやがらせ電話なんかも多いし、会の人たちからも、気をつけるようにと言われておりましたし」

「会というのは、琵琶湖を守るいう、アレですね？」

「琵琶湖の水を守るです」

順子は毅然として訂正したが、横沢は、どっちでもいいではないか――と、脇を向いて苦笑した。

玄関ドアはシリンダー錠が備えてあるのを、横沢は確認しておいた。シリンダー錠だからといって、完璧とはいえないが、一応、密室の条件には貢献している。

脅迫云々の事実関係はともかく、順子が言うように、家の戸締りに気を配っていたのは事実らしい。

「ご主人が倒れているのを見て、すぐに死んでいると分かりましたか？」

横沢は相手の反応の仕方に注意しながら、訊いた。

「いえ、見ただけでは分かりませんでしたけど、抱き起こしてみたら、もう冷たくなっていて……」

順子はその瞬間を思い出したのだろう。悲しそうに、両手で鼻から口にかけてを覆ったが、同時に恐怖に満ちた目を見せた。

「毒を飲んでいるらしいのですが、そのことは分かりませんでしたか？」

「分かりませんでした。そのときは何かの発作が起きたのだと考えました。テーブルの上に風邪薬が出ていましたし、それで、てっきり、主人は具合が悪くなったので薬を飲んだものと思いました」

「ところが、お医者がやって来て、どうやら毒物を服用していると聞かされたとたんに、『自殺だ』と思ったのでしたね？　それはいいとして、それがそのあと、なんでまた、殺されたいうことに変わったのか、不思議ですなあ」

横沢は皮肉な目で、被害者の妻を眺めた。

「密室やから自殺——いうのは分かるとしてですな、言われた直後に、急転直下、殺されたといわれても、どうも納得いかんのですがねえ」

「それはおっしゃるとおりですけど、でも、よく考えてみると、主人は毒物なんか持っているはずはないのですし、やっぱりあの連中に殺されたにちがいないのです」

「あの連中とは、上島総業の連中を言うとるのですね？」

横沢はうんざりしてそっぽを向いた。

3

広岡友雄が「琵琶湖の水を守る会」の人間だとすると、上島総業との軋轢（あつれき）からいって、脅迫めいたことを受けていたことは当然、考えられる。

上島総業は滋賀県最大手のデベロッパー会社で、琵琶湖周辺の開発や土木工事には、必ず関係していると言ってもいい存在だ。

高度成長期、滋賀県では、琵琶湖の豊富な水資源を目当てにした大小企業の工場進出がしきりに行われ、また湖岸の観光事業も、ほとんど無秩序に増加した。

さらに、阪神地帯のベッドタウン化が進むにつれて人口も急増し、ことに大津市付近の琵琶湖西岸地帯では、湖岸から山裾にかけて、地面が見えないほどに、人家や建造物が密集するような状況になったのである。

その結果、工場排水や生活雑廃水による湖水の汚濁が急速に進んだ。

二十年前、琵琶湖を水道の水源として使用している、滋賀県、京都府、大阪府等の住民から「水道の水がカビ臭い」と騒がれたのをきっかけに、琵琶湖の汚染がにわかに表面化してきた。急遽、公害防止条例や水質汚濁防止法などがあいついで制定された。

しかし、それらの条例が機能するよりも、開発のテンポのほうがはるかに早かった。琵琶湖の汚染はそれ以後もどんどん進み、合成洗剤汚染、ＰＣＢ汚染など、汚染源も多様化していった。

一九七〇年の大阪万国博に象徴される日本の繁栄は、日本国土と自然の荒廃の代償の上に成り立ったと言ってもいい。そしてそのもっとも象徴的な現象を琵琶湖に見ることができる。

昭和五十二年（一九七七年）、琵琶湖についに赤潮が発生した。

「さざ波や志賀の都——」とうたわれ、「近江の海夕波千鳥——」とうたわれ、清冽な水と豊かな自然の恩恵を供給しつづけてきた琵琶湖は、醜く病んだのである。

海洋民族である日本人が、ゴミや汚水を海に棄て、たれ流ししたように、滋賀県民は琵琶湖を水溜めからゴミ溜めにした。琵琶湖がいくら苦しみの表情を浮かべ、呻き声を発しても、人々は琵琶湖への冒瀆を止めようとはしなかった。

それどころか、上島総業に代表される開発業者は、規制が強化される前の駆け込み開発を目指す一方、逆に開発事業を大義名分化するのに必要な、立法措置を講じた。

上島総業初代社長の上島俊次郎は、もともと大津の旧家の出で、琵琶湖周辺にかなりの土地を持つ資産家だった。終戦後の変革で私有財産や土地を失った反動のように、熱心に事業を興し、とくに不動産の買収に力を入れた。

昭和四十年ごろになると政界にも乗り出し、社長の椅子を息子の俊三に譲り、自らは会長職に就くと同時に、衆議院議員に立候補、当選するや、県知事以下の滋賀県行政当局とともに国会工作を展開して、「琵琶湖総合開発五ヵ年計画」を成立させた。

これによって国庫からかちとった、延べ総額四千数百億円にのぼる補助金をバックに、人工島の造成など、自然環境を破壊する計画がつぎつぎに立案された。

そうした事業計画のほとんどに、上島総業が関わってきた。

上島は滋賀県知事との連携プレイで、さかんに事業を拡大した。その実態は、土地ころがしを含む投機的な事業が多く、県知事との関係には、無数の疑惑が存在したと噂されている。

じつは、上島総業と滋賀県政との癒着については、警察でも捜査二課が内偵を進めていた時期もあるのだが、なかなか証拠を摑むにいたらなかった。

上島は政治献金を通じ、政界の中枢や野党側にまで触手を伸ばし、警察当局の追及を逃れたとさえいわれた。

だが、その上島総業の「躍進」も、昭和六十年代に入るころから、相次いで破綻しつつあった。その第一は、上島俊次郎会長が「フンケイの友」としてきた知事が急死しそれがショックのように、俊次郎自身も倒れたことである。

そのあおりをモロに食らって、上島会長が琵琶湖総合開発の究極の大事業と計画し、八分どおり進捗しつつあった、『ウェストレイクパークランド』の建設が、施設の中心となるべき、地上十八階の巨大ビルの完成を目前にして、中止せざるを得なくなった。

パークランド計画は、もともと、環境アセスメントを無視したゴリ押し的な事業であったから、二代目社長の上島俊三は、計画当初からあまり強気にはなれなかったらしい。初代の俊次郎社長の事業計画を推進したがる、子飼いの重役連中の意向を抑えるのに、かなり苦労したそうだ。

とはいえ、上島総業の横暴を排除し、事実上、琵琶湖の「開発」にストップをかけたのは、法律でも行政でもなく、市民を中心とする「琵琶湖の水を守る会」などの活躍によるところが大きかった。

そして、そのリーダーの一人が、「自殺」した広岡友雄であったのだ。

4

翌朝の九時から、守山署ではこの「事件」の最初の捜査会議が開かれた。

署長も出席しているわりには、事件発生直後だというのに、さっぱり熱の入らない会議であった。

「事件そのものは自殺の公算が大きいのですが、広岡順子があそこまで『他殺』を主張しているのを、まったく無視していいものかどうか……」

捜査の指揮を取った中山刑事課長は、にがりきった顔であった。

「自殺でしょうなあ」

鑑識の安井係長も憮然として言った。

「それはまあ、密室だとかいう件については、あんなボロ家だし、ノビの専門家にかかれば、どこからでも入れますがね、しかし、外部から侵入した形跡はないようだしねえ」

「動機の点はどうなのかね」

署長がきいた。

「広岡は最近、肺癌の診断を受けているそうです」

中山が言った。

「しかし、カミさんの話によると、その件については広岡本人には伝えていないということでしたが」

横沢は面白くなさそうに言った。

「そう言ってはおるがね、広岡自身がどこかで小耳に挟んだのかもしれんよ」

中山は横沢以上に不愉快そうな顔をした。

「毒物の入手先はどうなのです？　カミさんは、『毒物なんて、主人が持っているはずがない』と主張しておりますが」

「いや、広岡はかつて、大阪の化学薬品会社に勤務したことがあるからねえ、その当時に、何らかの方法で入手していた可能性は、あり得ないことではないだろう」

「遺書のたぐいがないのも、おかしいのとちがいますか？」

「遺書のない自殺なんて、珍しくもないだろう」

会議というより、中山刑事課長と横沢部長刑事とのやりあいのような具合になってきた。

「なんだか知らんが、横沢君は殺しの心証が強いみたいだな。自殺であっては物足らんのかね」

署長がなかば揶揄（やゆ）するように言った。

「鑑識のほうも、密室だと言っているのだし、自殺と考えていいのじゃないのか。それに、広岡の奥さんだって、最初は抵抗なく、自殺だと思っておったそうじゃないか。そらまあ、密室殺人なんてことになれば、事件としては面白いかもしれんがね」

「それにです」と中山が付け加えた。

「自殺では具合の悪い事情があるのかもしれませんしね」

「ほう、それは何だね？」

「保険ですよ、生命保険です。自殺となると、保険金が受け取れないケースもありますからね」

「ああ、なるほど、それはそうだね。それが殺しだと、事故死扱いということで、たしか二倍保障になるのじゃなかったかな」

「そのとおりです。したがって、カミさんが他殺説に固執するのは当然なのです」

これでいっぺんに、ムードは自殺説を確定的にした。ただ一人、横沢部長刑事を除けば——である。

「なんだか、まだ不満そうだな」

署長がニヤニヤ笑いながら言った。

「はあ、大いに不満です」

横沢は仏頂面をして応じた。

「そもそも、密室の問題にしても、そんなもん、簡単に否定できるのとちがいますか」

「おいおい、横沢君、穏やかじゃないな。そんなに簡単に否定してしまっては、安井鑑識係長の立場がないじゃないか」

署長は笑って窘めたが、安井はそれではまだ気がすまないとばかりに、ムッとした顔で横沢に食ってかかった。

「そう簡単に、密室破りの方法があるというのならば、ひとつ、それを聞かせてもらおうやないか」

「方法はだから、簡単や言うておるのです。あまりアホらしいので、たぶん笑うやろ、思いますが」

「まあ言うてみてんか」

「要するに、順子が犯人である場合には、密室犯罪は可能やいうことです」

横沢がそう言って、しばらくのあいだ、沈黙が流れた。

「アホらしい……」

横沢の予言どおり、安井は笑いだした。

「カミさんが犯人やて、そんなもん、密室にも何にもならんやないか。カミさんは鍵を持っとるのやで」

「しかし、密室であることを誰も疑わんかったのとちがいますか？　つまり、盲点いうわけです」

「盲点て……しかしなあ……」

安井は首を横に振って、呆れて口をきく気もなくなった――と言わんばかりに、黙ってしまった。

「広岡夫人が犯人であれば、たしかに『密室殺人』も成立するがねえ……」

中山刑事課長は手を広げ、うんざりしたように言った。

「しかし、なんだって夫人は夫を殺さにゃならんのかね。広岡夫婦の仲のいいのは、隣近所で評判だそうだよ。第一、横沢君は勘違いしているようだが、夫人は自殺を主張しているわけでなく、他殺だと言っている。もし自分が殺ったのなら、警察が自殺で片づけようとしているものを、わざわざ否定するはずがないだろう」

「それは、そやからですね、刑事課長が言われたように、保険金の問題があるからとちがいますか」

横沢は抗弁した。

「夫婦円満であるとか、現場の状況からいうたら、たしかに自殺だとしてもおかしくはないですけど、それは密室状態であるという先入観によって支えられとるのや思います。もし密室状態でなかったら、殺しの疑いがあっても、何の不思議もないいうふうに思うのですが」

「不思議はないかどうか……コーヒーカップは一つだけだったし、現場の状況からは、殺しのにおいは感じ取れなかったと思うが……まあ、仮に他殺の疑いありと仮定してもだね、それだからといって、妻君の犯行だと思うのはおかしいよ。それはむしろ逆だろう」

中山は首をひねりながら言った。

「もし他殺の疑いがかかるのを予測しておったのであるなら、順子は密室工作なんかするはずがない。ドアを開けっぱなしにしておいたほうが、容疑の対象は特定できないことになるではないか。つまり、順子が主張しているように、上島総業の関係者である可能性も、否定できないことになる」

「そやからですね……」

横沢はじれったそうに言った。

「カミさんは保険金のことをうっかりしとったんやないでしょうか？　自殺でも金は出ると思うとったのが、アテがはずれたいうことやないか思うのですが」

「驚いたなあ、よくまあ、そういろいろ考えるもんだなあ……」

中山は救いを求めるように、署長の顔を見た。

署長はしかし、横沢の反論に興味を抱いたらしい。

「なるほどねえ、横沢くんの言うことも、まったく考えられんこともないかなあ。となると殺人事件として対応せにゃならんことになるが……そうだ、アリバイ問題はどうなるのかね。そもそも、あの時間に、広岡夫人はどこへ出掛けていたのだ？」

「広岡の死亡推定時刻は、午後十時前後ということでありますが、その時刻には、広岡夫人は彦根におったそうであります」

刑事課長はメモを確認しながら言った。

「彦根には広岡の友人である、相川勇志という者がおりまして、妻君は広岡の指示で車で相川のところへ出掛けたのだそうです。家を出たのが午後八時ごろ、彦根に着いたのが九時過ぎごろ、彦根を十時前に出ております」

「ウラは取ったのかね？」

「はあ、一応、電話で確認はしました。むろん、いずれ捜査員を派遣する予定にはなっておりますが。そうだね、きみ」

中山刑事課長は三田警部補を振り返って、念を押すように言った。

「はい、そのとおりです」

三田はすぐに課長の意を察知して答えた。

「それで、夫人の彦根行きの目的は何だったのかね？」

署長は訊いた。

「じつは、それが妙な話なのですが、妻君は、なにもわざわざ夜中に出掛けて行くほどのことではなかったと言っておりまして」

「ほう、どういうことだね？」

「広岡は夫人に、相川勇志のところに、借金を返しに行くように命じたということであります」

相川勇志は広岡と「琵琶湖の水を守る会」を通じて知り合った。というより、広岡の理念や運動に共鳴して、同志に加わったものらしい。広岡順子の評によると、「郷土愛に燃える真面目な青年」ということになる。

相川は彦根藩の上級武士だった旧家の出で、現在も彦根市内に住んでいる。広岡より五歳年下だが、広岡が一目も二目も置くほどの理論派であり、行動派でもあった。

その相川と、何かの会合の帰路、たまたま寄り道をした際に、広岡は持合せがあまりないのをうっかりして、相川に五千円ばかりの金を借りた。その金を、どうしても今夜中に届けるように――と、広岡は順子に命じたというのだ。

「借金の返済か……なるほど、たしかにとってつけたような理由と言えば言えるかな。それとも、緊急に返済しなければならない事情でもあったのなら、話はべつだが」

「いままで聞いたところでは、そういう事情は何もなかったそうです。友人の相川も、夜遅くに広岡夫人が訪ねて来たので、びっくりしたと言っておりました。むしろ、広岡が自殺するために、夫人を外へ出す口実ではなかったかと思われます」

「なるほど、それは考えられるねえ」

署長は結論を得た——という目を横沢に向けた。

「しかしですね」と、横沢はそれでもなお、自説を主張した。

「それはすべて、広岡順子の言っておることですやろ。それに、相川かて、真実を語っておるとはかぎらんわけです。たとえば、その二人が共謀すれば、犯行は可能なんとちがいますか？　相川は独り者やそうですし、アリバイもはっきりせんのと違いますか」

「うーん……」

署長は唸った。この強情な部長刑事を説得するのは容易なことではない——と思っているのが、傍目にもありありと読み取れた。

「どうするかね、中山君」

刑事課長に訊いた。

「はあ、これだけの条件が揃っておれば、だいたい自殺と断定して差し支えないと思いますが……しかし、最終的には署長のご判断次第です」

中山は面倒臭くなって、署長にゲタを預けた。もしも「他殺」の疑い濃厚——なんてことにでもなると、署内に捜査本部を設置するわ、県警本部から応援を頼まなければならないわ——という、大騒ぎになる。総理誕生の祝賀ムードに、冷水をぶっかけるような暗いニュースだ。署長が憂鬱なのは、刑事課長にはよく理解できる。

「そうだなあ……それじゃ、当面、自殺と判断するとして、なお、他殺の可能性についても充分考慮する——という姿勢でゆくことにしようか」

署長は慎重な言い回しで結論を言った。横沢部長刑事は、心外きわまるという顔で天井を睨んでいたが、これで本事件の幕は下りることになる——はずであった。

第二章　われは湖の子

1

「梅雨は明けたのかしらねえ」

　庭の方角から母親の声が聞こえてきた。

「ええ、そうみたいですね」

　お手伝いの須美子が答えた。

　いっぱいに開いた窓から身を乗り出して、眩しそうに空を見上げている、新旧二人の女性の姿が、重い瞼の裏側に映し出される。

「そろそろ、クーラーをお入れしましょうか」

「いいわよまだ、あんなものは体によくありません。なるべくなら使わずにすませるほうがよろしいの」

「はあ、でも、光彦坊ちゃまのお部屋は、昨日からおつけになってるみたいです」

「まあ、ほんとう？　いくつになっても我慢ということのできないひとですよ、あの子は……そういえば光彦、きょうは姿を見ないわねえ」

「まだお寝みのようです。ゆうべ遅くまでお仕事だったのじゃないでしょうか」

「あの子が？　なに、お仕事なものですか。愚にもつかない駄文を書いているだけですよ。何時だと思っているのかしら。いいかげんで起きるようにおっしゃい。起きなければ、クーラーを止めて、代わりにヒーターを入れて、蒸し焼きにして上げなさいな」

「ははは……」

須美子は思わず、はしたない笑い方をして、慌てて「はい、そうします」と言った。

蒸し焼きにされてはたまらないから、浅見光彦はベッドを抜け出すことにした。たしかに母親の言うとおり、クーラーのつけっぱなしは体によくないらしい、着替えの際に、浅見はクシャミが出た。

ドアのむこうで須美子が「坊ちゃま」と呼んだ。

「ああ、いま起きたところ。凍死する前にクーラーは消しましたって、おふくろさんに言っといて」

「いいえ、そうじゃないんです、お客さまがお見えなんですよ」

「お客？　こんな朝っぱらから？」

「なにおっしゃってるんです、もう十時を過ぎましたよ」

「あ、ほんとだ……客って誰？　藤田編集長だったら、まだ原稿できてないから、帰ってもらって」

「違いますよ、相川さんとおっしゃる方です」

「相川？　どこの相川さん？」

「存じませんよ、直接お聞きになってくださいよ。とにかく、玄関でお待ちですから、早くいらしてくださいね」

須美子はじれったそうに言って、さっさと行ってしまった。

相川という知人に心当たりはなかったが、玄関先に放っておくわけにもいかない。浅見はポロシャツの裾をズボンに突っ込みながら、廊下を急いだ。

玄関には男が立っていた。白に近いグレイ地に、細かいストライプの入ったサマースーツ姿の、なかなかダンディな男だ。なかば逆光になっているので、顔つきなど、はっきりとは見えないが、歳恰好は浅見と似たようなものらしい。

「どうも、お待たせしました……えーと、相川さん、でしたか？」

浅見が困惑ぎみに頭を下げるのに向かって、男は懐かしそうに、手をさしのべんばかりに近寄った。

「ああ、しばらく、おれ……いや、僕です、彦根の相川です、十年ぶりかな」

「えっ……彦根の相川って、『われは湖の子』の相川君？」

「そう、その相川」

「ほんとかよ……」

浅見は驚いた。十年ひと昔と言うけれど、人間変わるものだ。相川といえば、浅見の大学時代の同期で、硬派の代表格だった男だ。いつも頭はボサボサ、不精髭を生やし、汚れたTシャツにジーパン姿で、そのまま新宿の地下道あたりに座っていれば、かなりの収入が期待できそうなタイプだった。

「見違えたなあ……」

浅見は嘆息を洩らした。

「そうだろう、しかしきみは変わらないなあ、昔のままだ。相変わらず女性にモテているのだろうね」

言ってから、慌てて口を抑え、「奥さんは?」と、奥の様子を窺った。

「そんなもの、いないよ」

浅見は苦笑した。

「とにかく上がってくれ」

応接室に案内して、あらためて挨拶のやり直しをした。

「いきなり訪ねて来て、迷惑だったかな」

いまごろになって、相川は恐縮してみせた。

「迷惑じゃないが、驚いた。よくここが分かったね」

「昔、一度だけ来たことがある」

「そうだったかな」

「コンパで酔いつぶれたきみを送って来た。おふくろさんにこっぴどく叱られたので、よく憶えているんだ。おふくろさん、お元気なんだろうね？」

「ああ、当分は元気らしい」

「そうか、それはいい。しかし、きみもまだ、カミさん、いないのか」

「ああ、まだだ。次男坊がいまだに親の家に居候しているのだから、分かりそうなものじゃないか」

「そうか、次男坊だったのか……」

相川は気の毒そうな顔をして、部屋の中を見回した。

「しかし驚いたなあ、いったいどういう風の吹き回しだい？」

「ああ、びっくりしただろうね。きみとはそんなに親しいっていう関係でもなかったしなあ。こんなふうに突然現れるのは、ロクなことじゃないと思うだろうな」

「いや、そんなことは思わないけどさ……」

そうは言ったものの、正直なところ、浅見は多少、警戒しないわけではなかった。

相川は少し居住いを正して、言った。

「じつは、折り入って頼みたいことがあってお邪魔したんだ」

「あ、その前に言っておくけど、お金の相談なら絶対だめだよ。僕自身、ソアラのローンでピーピー言っているんだから」

「いや、そんな簡単なことなら、何にもきみに頼みに来はしないさ」

「ふーん、お金より難しいことが、この世の中にあるの？」

「ああ、あるんだよ。それで僕はいま、非常に困っている。なんとか助けていただきたくて、お邪魔した」

相川はテーブルに手をついて、頭を下げた。

「おいおい……」

浅見は面食らった。頭を下げるいっぽうの毎日だ。相手の頭が自分のより下にある状況に、どう対応していいか分からない。

「なんだよ、いったい、どうすりゃいいって言うんだよ？」

「名探偵・浅見光彦氏に、なんとか助けていただきたいんだ」

「名探偵って……困るなあ、どこでそんなことを聞いて来たんだい」

「内田康夫っていう作家の書いた本を読んだ。きみは、いろいろな事件でずいぶん活躍しているそうじゃないか。ことに『江田島殺人事件』には感動した。きみならきっと、僕たちの苦衷（くちゅう）を救ってくれるにちがいないと信じて、頼みに来たんだ」

「弱ったなあ……」

浅見はゼスチャーでなく、頭を抱えた。ルポライターをやっている関係で、事件に関わることも多いし、探偵ゴッコは嫌いではないけれど、こうして正面切って「探偵業」として依頼されるのは、これがはじめてのケースだ。というより、こうなることを恐れ、ずっと避けてきたのである。

だいたい、あの軽井沢の作家が、無責任なことを書くのがいけないのだ――と浅見は思った。

「小説では事件簿ふうにいろいろ書いているけど、あれはたぶんにフィクションだからねえ。嘘っぱちが多いんだよ」

「いや、そうじゃないと思う」

相川は真っ直ぐ浅見を見て、自信たっぷりに言った。

「あの小説に出てくる、きみのおふくろさんや、あのお手伝いさんなんか、まさにイメージどおり。内田氏の文章はあまりうまくないが、じつに正確に描写されている。もちろん、きみのこともだ。そこの平塚亭の団子も食って来たが、確かに旨い。多少のフィクションはあるにしても、書いていることのほとんどは事実だと信じている」

「うーん……」

浅見は唸った。見込まれたものだ――と、なかば諦めの心境であった。

「ご期待に添えるかどうか疑問だが、とにかく話だけでも聞かせてもらおうか」

「そうか、聞いてくれるか、ありがとう、恩に着る、このとおりだ」

「頼むから、それだけはやめてくれないか。でないと、僕は話を聞かないよ」

「分かった、じゃあご好意に甘えて……」

「そういうのもなしにしてよ。こっちも面白半分でやるのだと思ってもらったほうが、気が楽でいいんだ」

「そうか、とにかくきみの気のすむようにしてくれ」

「それで、彼女は年上の女性だね？」

「えっ？……」

相川はギョッとして、幽霊か悪魔にでも出会ったような目で、浅見の顔を見つめた。

「ど、どうして……え？　うそだろ、まさかきみ、おれたちの……」

しどろもどろに、わけの分からないことを呟いた。

「何を言っているんだい。僕がきみたち二人の関係を知っているはずがないじゃないか。ちゃんと落ち着いて、事情を話してくれないと困るなあ」

浅見は相川を励ますように言った。

「ああ、もちろんそのとおりだが……しかし、きみはいま、彼女のことを知っているような口振りだったが」

「知らないよ、そんなこと。だから年上の女性だね？　――と訊いたじゃないか」

「それにしたって、僕は彼女のことは何も言っていない」

「しようがないなあ、自分で言ったこと、憶えていないの？　『僕たちの苦衷を』って言ったじゃないの」

「ああ……だけど、それだけでどうして？」

「そりゃ分かるよ。まずきみの口調から言って、『僕たち』の相手が女性であることはすぐに分かるだろ。それに、もし年下の女性の問題だったら、僕なんかに相談しないで、きみ自身の力で片づけるにちがいない。年上の女性だから、きみはどうしていいか思案に余って相談に来たのだろう？　しかも、彼女はむしろ、きみを庇（かば）おうとしているね。それに、いま直面している問題というのは、個人の力ではどうしようもないほど、とてつもない相手が関係しているのじゃないかな。それはたとえば、暴力団だとか、警察だとか……ふーん、警察なんだね？　だとすると、彼女は殺人の容疑でもかけられているのかな？　ほうっ……そうなのか、殺人事件……というと、ふーん、なるほど、厄介な状況にあるみたいだねえ……」

浅見は相川の刻々変化する表情を読み取って、最後には溜め息をついた。

「驚いた……いや、恐ろしいね、きみは……いったいどういう頭脳をしているんだ？　そのとおりだよ、何もかもきみの言ったとおりだ」

相川のほうも、うわ言のように口走って、やはり大きな溜め息をついた。

2

相川勇志とは、学生時代の付き合いしかないのだが、その学生時代でも、それほど親交が深かったわけではない。ただし、相川のことは、「われは湖の子」をセットにして記憶されていて、その部分はいまでもありありと思い出すことができるのだった。

酔うと、相川は必ず「われは湖の子」を歌った。

われは湖の子さすらいの

旅にしあればしみじみと
昇る狭霧やさざなみの
志賀の都よいざさらば

ご存じ、京都大学の前身——京都第三高等学校水上部（ボート部）の寮歌である。現在では「琵琶湖周航の歌」として、加藤登紀子ほか、多くの歌手によってレコード化され、また、カラオケのヒットナンバーの一つに数えられている。
この歌を、相川は涙ながらに歌った。酔うたびに歌い、歌うたびに泣いた。ふるさとのない、東京っ子の浅見にも、相川が泣く理由は分かるような気がした。

松は緑に砂白き
雄松が里の乙女子は
赤い椿の森蔭に
はかない恋に泣くとかや

二番のこの歌詞を歌うとき、相川はなんともいえぬ悲しそうな目をした。その目は、明らかに、破れた初恋の面影を追い求める目であった。いや、そういう狭義の解釈は正しくないかもしれない。相川はもっと広く、歌に描かれた琵琶湖の風景——ふるさとのすべてに、熱き想いをかき立てられ、万感こみ上げ、涙を禁じ得なかったのだろう。

全部で六番まである長い歌で、相川が歌い始めると、（またか――）と、これ見よがしに欠伸をするやつもいたが、浅見はこの歌が好きだったから、いつもしんみり聞いたものである。

歌い終り、「いい歌だね」と浅見が感想を述べると、相川は「そう思うだろう、いい歌だろう」と握手を求めた。

「ああ、そういう、賛美すべきふるさとのある人が、羨ましいよ」

「うん……しかし、いま琵琶湖はひどいことになっているんだ」

そのときはあまり詳しい説明は聞かなかったが、相川は沈痛な顔をして、大学を出たら、いなかへ帰って、琵琶湖のために何かをするのだ――と、勤皇の志士のように意気込んで言っていた。

大学を卒業したきり、相川とは一度も会っていない。琵琶湖のことも遠い話だ。

この夏、琵琶湖で二百万匹にのぼる魚が死んだというニュースが報じられた。

二百万匹という数字がどれほどの意味を持つものなのか――少ないとは思わないけれど、それがそのまま琵琶湖の「死」を意味するのか、浅見には分からない。

もし琵琶湖が「死」ぬのだとすれば、政治が何か手当てをするだろう、周辺住民が立ち上がるだろう、マスコミが騒ぎ立てるだろう――と、ひそかに窺っていたが、どうしたものか、そのまま立ち消えのようになってしまった。

してみると、「二百万匹」は誤報だったのか？　それとも、大勢に影響のあるほどの出来事ではなかったのか？

そして、ほんの一瞬、浅見の記憶の中にあった、名前も忘れかけたような、「われは湖の子」を歌う男のことが浮かび、じきに消え去った。

その相川が突然、現れて、救いを求めてきた。それも、自分と人妻にかけられた、殺人容疑を晴らしてもらいたい――というのである。

琵琶湖へ向かうソアラの中で、相川は自分と広岡夫人・順子の置かれている立場について、あらいざらい語った。東京から琵琶湖までのドライブは、込み入った話をするのにも、充分すぎる距離であった。

事件の夜、広岡順子が来訪したとき、相川はびっくりしたそうだ。

「五千円を返しに来たと聞いて、僕はてっきり、広岡さんが絶交宣言を突きつけたのだと思った」

相川はそう言った。

「何か、いわれのない中傷があって、僕を誤解したとしか考えられなかった。しかし、奥さんに訊くと、何もそれらしい様子はみられなかったというんだ。ただ、これを僕に届けるようにと言って、封筒に入った物を渡しただけだと……いや、中身が何なのか、それすらも知らなかったと言っている。ただし、今夜でないといけないのかと訊いたのに対して、広岡さんは、ぜひ届けてもらいたいと、真剣な顔で答えたそうだ」

「その理由を訊かなかったの？」

浅見は訊いた。

「ああ、訊かなかったそうだ。日頃から、奥さんは広岡さんに逆らわないひとだった。それに、ご主人の病気のこともあって、少し変だなと思いながら、深く問い返すことはしなかったらしい」

「なるほど、それが事実だとすると、広岡さんが奥さんを留守にさせたかった、何かの事情があることははっきりしているね。常識的に考えれば、それは自殺するためだったということになるなあ」

「ああ、僕もそう思った。いや、警察だってそう思ったから、二日目にはすでに『自殺』として処理され、マスコミの連中もそれっきり来なくなった。ところが、それにもかかわらず、あれは絶対に自殺ではない、殺されたのだ――と、頑強に言い張る人物が二人いるのだよ」

「その一人は広岡夫人だね」

「ああ、そのとおりだ」

相川はもはや、浅見の推理に対してあまり驚かなくなって、憂鬱そうに頷いた。

「しかし、もう一人のほうは誰だい？」

「横沢という、守山署の部長刑事だ。この男が、最初から他殺説を主張し、しかも広岡夫人と僕が共謀して、広岡さんを殺害したと信じ込んでいる」

「なるほど、それはあり得るね」

「おいおい、感心してもらっちゃ困るなあ。警察内部でも、横沢刑事の独走には手を焼いているくらいだから」

「しかし、客観的に見れば、きみと夫人が共謀すれば、犯行は可能だろう。むしろ警察が早々と自殺で片づけたことのほうが、僕には不可解でならない」

「…………」

相川は助手席で、窮屈そうに体を曲げて、まるでそこに横沢部長刑事の分身でも見るような、不信に満ちた目で浅見を睨んだ。

「僕が言っているのは、きみや広岡夫人のキャラクターを無視して、単に物理的な状況だけを考えれば――という意味だよ」

浅見は苦笑して、相川を宥めた。

「だってそうだろう、夫人のアリバイを証明しているのはきみだけなんだし、きみが虚偽を述べさえすれば、夫人の犯行は成立するのだからね。さらに言えば、きみ自身のアリバイが証明されなければ、共同正犯の可能性だってあるわけだ。横沢という刑事が疑惑を抱くほうが正しいよ。しかし、僕はきみのことを知っている。いや、詳しく知っているわけではないけれど、少なくとも、きみは犯人ではないという前提に立って、物事を考えることに決めている。きみが犯人でなく、嘘をついていないとすれば、広岡夫人のアリバイは成立する」

「それじゃ、奥さんの疑惑は晴らせるわけだね」

「いや、アリバイは成立するけれど、疑惑そのものは晴らせないよ。だって、きみ以外の共犯者がいる可能性は、いぜんとして残るのだからね」

「呆れたなあ……どうしてそう、疑り深いのだ？」

「それは、僕はまだ広岡夫人を知らないからさ」

「しかし僕は奥さんを知っている。彼女はそんな犯罪者であるはずがない」

「よし、いいだろう。それじゃ、広岡夫人も犯人ではないと信じることにしよう」

「なんだか、やけにあっさりしているな」

「ははは、不満そうだね。じつを言えば、琵琶湖へ向かう気になったとき、すでにそのことは信じているのだよ。そうでなければ、出掛けはしないよ。誰が好きこのんで、自分の友人や、その恋人の犯罪を暴き立てる作業に協力するものか」

「恋人？　冗談じゃないよ、広岡さんの奥さんは恋人なんかじゃないぞ」

「あ、そうか、そういう言い方をしてはいけないんだっけ。憧れの君と言うべきか」

「アホなことを言うな！」

「まあ、そう怒るなよ。しかし、世間ではそう見ているという現実はあるのだろう？　少なくとも横沢部長刑事はそう信じているね。そうでなければ、彼の疑惑の根源にあるものが説明できない」

「どういうことだ？」

「つまり、その刑事もまた、正義感に燃える男だということ。彼にしてみれば、不倫と金目当ての、汚らしい犯罪だとしか思えないのだろうね」

「なんてことを！……」

相川は悔しそうに唇を噛んだ。

「しかし、浅見の言うとおりかもしれない。そうでもなければ、あいつのヘビのような執拗さは説明できない。とにかく、いつでも、どこでも、あいつの眼が光っているような気がしてならないくらいなのだ。とくに広岡夫人に対しては、ひょっとすると、風呂場の中まで監視されているのじゃないかと思えるほどだ」

「まさか……」

「いや、笑いごとではないよ。実際、夫人は夜中に人の気配を感じることがあると言っている」

「それじゃ、人権蹂躙じゃないか、警察に文句を言ったらどうだろう」

「もちろん言ったそうだよ。しかし、警察ではそれは何かの間違いでしょうと、型通りの答えしかしない。かえって、翌日、横沢のやつが怒鳴り込んできたそうだ。ありもしない告げ口をされて、えらい迷惑をこうむったと言ってね。しかも、そのついでに事情聴取めいたことをして行ったらしい」

「ふーん、なかなか抜け目のない刑事だな」

浅見は感心したが、相川には気に入らない。

「きみはどっちの味方なんだ?」

「ははは……どっちの味方、という依怙贔屓はないよ。優れた人は尊敬するだけだ。強いて言えば正義の味方かな。その部長刑事だって、警察官としてはかなり上等の部類に属するのかもしれない。それはそうとして、もっともミステリアスなのは、その広岡夫人だなあ。いったい何を考えているのか、実に興味津々たるものがある。早く会って、話を聞きたいな」

浅見はハンドルをドラム代わりのように叩いた。広岡夫人との出会いのときを想像するだけで、浮き立つような想いがするのだ。

「なんだか、きみを見ていると、デートにでも出掛けるように見えるな」

相川は、斜めに浅見を見て、心配そうに言った。

「ははは、デートね。デートか……そうだな、広岡夫人とどこでデートするか、少し考えないといけないね」

「よせよ、そういう不真面目なことを言うのは」

「不真面目なものか。きみは、いつも横沢部長刑事に監視されていると言ったじゃないか。その目を逃れるためには、どこか適当な場所と方法を選ばなければならないだろう。さり気なく出会い、さり気なく会話を交わせるような場所をね……」

浅見は言いながら、琵琶湖のガイドブックに書かれている、さまざまな名所旧蹟やうまい物店、レジャー施設等々を思い浮かべていた。

3

琵琶湖行の第一夜を、浅見は、彦根で迎えた。いや、彦根に着いたら夜だったと言うべきである。

相川の家は彦根城からそう遠くない、新しい住宅地にあった。昔は琵琶湖の水が、ついその辺りまできていたという、かつては湿地帯ではなかったか——と思わせるような、低い平坦な土地に、比較的、ゆったりした敷地をもつ家が建ち並んでいる。

五十坪ぐらいはありそうな、独り住まいには広すぎる家だ。

「いまどき、こんなでっかい家に住んでいるのか」

浅見は羨望の溜め息をついた。

「両親が死んで、気がついたら守宮みたいなことになっていたんだ」

相川は少し、自棄ぎみに聞こえるような口調で言った。

「結婚、しなかったのか？」

「ああ、どうも、しそびれている。しかし、その点はきみも同病だな」

「同じじゃないよ。きみの場合には病原菌がはっきりしているもの」

「何だ、それは？」

「まあいいじゃないか」

「よくないよ、何が言いたいのだ？　広岡夫人のことだったら、誤解だ」

浅見は黙った。

相川もあえて、それ以上は弁明する気はないらしい。やや気まずい沈黙が流れた。

ここは城の南西の方角に当たるそうだ。夜が更けるにつれて、闇は濃く、静寂の気配があたりを支配した。

「広岡夫人が車で来たことを、近所の人は知っていたのかな？」

浅見は訊いた。

「さあ、どうかな。警察でも当然、調べただろうけど、何も言っていないところを見ると、知っていたということなのだろう」

「夫人が帰った時刻については？」

「分からないな、なぜそんなことを訊くんだ？」

「いや、一応の予備知識のようなものだよ。そんなに気にしないでくれ」

その夜のうちに、浅見は広岡友雄という人物に関する知識を仕入れた。

相川は広岡に心酔しただけに、広岡の生い立ちから経歴、主義、思想はもちろん、私生活のかなりの部分についても、詳しく知っていた。

広岡友雄は地元守山市に生まれ、大学を卒業後、大阪の化学薬品会社に就職した。後に大津市郊外の工場に勤務するようになって、内部から公害問題に取り組んだ。やがて、企業と行政の癒着の実態を知るにいたって、会社を退職、父親の経営していた小さな印刷会社を引き継ぐとともに、「琵琶湖の水を守る会」に参加して、運動のリーダーの一人となった。

「広岡さんは、イデオロギーに汚染されていない人だった。純粋に琵琶湖を愛し、子供のころ、慣れ親しんだ水を懐かしむ気持ちで、走り回っていた」

相川が広岡のことを語るときは、瞳が少年のようにキラキラと輝いた。そして、やがてその瞳がうるんでくる。

「運動ははげしかったな。相手が暴力団であろうと、集団の先頭を切って、突っ掛かっていった。どういうルートを持っていたのかは知らないが、信じられないほど、情報に通じていた。上島総業がウェストレイクパークランドを建設しつつあったとき、その開発計画申請の書類審査に不正疑惑があるのを嗅ぎ出したのも、広岡さんだった。上島総業は行政側を巻き込んで、反対運動を潰しにかかったが、幸か不幸か、そのトップにいた県知事が旅先で急死し、おまけに上島総業の会長が倒れるという、アクシデントが起こった。その結果、八分どおり完成していたビルを含む、開発計画は中断せざるを得なくなって、事実上、上島総業は壊滅状態に追い込まれたのだ」

「なるほどねえ、それじゃ、上島総業側とすれば、広岡氏は八つ裂きにしてもあき足りない存在だったろうなあ」

「いや、必ずしもそうではない」

「ほう、どうして？」

「つまり、広岡さんといえども、琵琶湖の水を守る会の一員でしかないからね。たとえば、ウェストレイクパークランドの不正疑惑情報を入手したのが、広岡さんだという事実を知っているのは、ごく限られた人間だけだ」

「その中の誰かが、上島総業に洩らしたことは考えられるだろう？」

「まさか……あり得ないと思うが……」

相川は自信なさそうに、首を振った。それから、自分の胸の内に生じた疑惑をうち消すように言った。

「そんなことはどうでもいいんだよ。僕がきみに頼んでいるのは、要するに、広岡夫人に対する横沢刑事の邪推を晴らしてもらいたいことだけだ」

「しかし、それを立証するためには、いろいろ調べる必要があるよ」

「それにしても、琵琶湖の水を守る会に土足で踏み込んで、会の運動に水を差すようなことだけはしてもらいたくないんだ。それでなくても、今、広岡さんの死に対して、いろいろ取り沙汰されようとしているのだし」

「きみや広岡夫人が恐れているのも、そのことだね」

「………」

「きみと広岡夫人とのあいだに、何か特別な関係があるなどと噂が立てば、それだけで、会は打撃を受けるだろうな」

「ああ、そのとおりだ」

相川は吐き棄てるように言った。

「こっちは潔白だから、横沢のやつにつきまとわれていること自体には、それほど恐れるものはない。しかし、それによって生じる風聞が怖いのだよ。広岡夫人はそのことを恐れ、近頃では横沢の理不尽に対しても、じっと耐え、ひたすら目立たないことを心掛けているありさまだ」

「とはいっても、広岡氏が殺されたことについては、あくまでも自説を撤回する気はないのだろう？」

「うん、それはそうなのだ……」

相川は悩ましそうに眉をひそめた。

「なるほど、それにしても、夫人がそこまでかたくなに、他殺説を捨てない理由は何なのかなあ。単なる信念だとすると、よほどご主人を信頼していたのだろうねえ……」

相川の表情が、微妙に揺れるのを、浅見は複雑な想いで見つめた。

翌朝、彦根城に登った。いうまでもなく、井伊家の居城だったところで、天守閣は国宝に指定されている。

彦根城の前身は佐和山城で、湖東地方から北陸、東国へ向かう玄関口ともいうべき要衝の地であった。織田信長が浅井長政を攻めたときに、最初に陥落した城である。その後、丹羽長秀、堀秀政、堀尾吉晴、石田三成——と、太閤記でおなじみの顔触れが代々の城主となった。歴史上の重大転機である関が原の戦いは、この佐和山城の落城をもって、事実上、終焉した。

その後、城主に封じられた井伊家は、佐和山よりも琵琶湖に近い彦根山に、二十年の歳月を費やして城を築き、明治維新にいたるまで、この地を治めた。

彦根城の天守に登ると、琵琶湖が一望できる。建造当時は湖水に面していたはずだが、現在は琵琶湖とのあいだにかなりの平地がひろがり、学校か何か、かなり大きな建物も点々と建っている。

それにしても美しい眺めだ。

「湖水の向こう、左奥に霞むのが比良山、その手前が近江舞子、そしてずっと右につづく湖岸が近江白浜、今津浜、それからあれが竹生島、その奥がマキノ、右のほうに見える岬のあたりが長浜……」

説明する相川は、まるで酔っているような口調だ。そのうちに「われは湖の子」を歌い出しそうな興奮ぶりであった。

「きれいだなあ……」

浅見はごく素朴な感想を言った。

「あの湖で、二百万匹の魚が死んだなんて、信じられない気がするね」

「うん……」

相川は(面目ない――)というように、黙りこくってしまった。

4

信号で車が停まると、広岡順子の車が、ボンネットの上に立ち昇る陽炎で、ユラユラと揺れた。

もうじき日が暮れるというのに、クーラーが追いつかないほどの暑さであった。これで三日つづきの晴天ということになる。ことによると、このまま梅雨は明けてしまうのかもしれない。だとすると――と横沢は琵琶湖の水位が気になった。去年はよかったけれど、その前は二年連続で、夏の水不足が騒がれた。例年行事のようになってしまった赤潮も発生したし、緑色の重油のようにネットリしたアオコで悩まされた。

（思いきり降って、汚れた水を押し流してくれればええのになあ——）

ぼんやり考えていて、後ろからクラクションを鳴らされた。信号はとっくに青に変わって、前の車ははるか遠ざかっていた。

横沢は慌ててアクセルを踏み込んだ。一本道みたいなものだ、見失うおそれはないけれど、あいだによその車が入り込まないほうがいい。

妙なもので、これくらい尾行をつづけていると、広岡順子の後ろ姿に、なんとなく懐かしさのようなものを感じる。順子の犯罪を追及しているはずが、いつのまにか、ボディーガードを務めているような錯覚に襲われることがある。

（アホくさ——）

横沢は苦笑した。

おれはトコトン、事件の真相を暴いてやるんや——という覚悟に変わりはなかった。死んだ広岡の無念の眼を見た瞬間、（これは殺しや——）と直感した記憶は、日が経つにつれて、冷めるどころか、ますます確固たるものになってきた。

最近とみに、控え目で、いかにもとりすました様子を演じている、順子の未亡人ぶりも気に入らなかった。むしろ、警察に乗り込んで、こっちの「捜査」に噛みついてきた、ああいう反応をつづけてもらいたいものなのに——。

もっとも、あのときは署長にこっぴどく怒鳴られた。自殺と決まったヤマを、いつまで追い掛けとるんだ——ときた。アホらしい、おれは風呂場を覗いたりするものか。こっちだって、夜の夜中ぐらい、ちゃんと家で眠らな、体がもちはせんわい。

しかし、ええ女やなあ——と、横沢は思う。あの相川にしたって、惚れるのも無理がない。順子と会っているときの相川の目は、たしかに尋常なものではない。相川が嫁ももらわないでいるのは、順子を愛しているからに決まっている。

このところ、相川は広岡家を訪ねることをしなくなった。世間の噂を気にしているのか、それとも横沢が見張っているせいなのかは分からない。

（しかし、ヤツは会いたくてウズウズしておるにちがいないんや——）

ただし、共犯の相手が相川である可能性は少ない。近所での聞き込みによると、あの晩、相川は自宅を出ていないらしい。だとすると、順子と組んで、彼女の留守のあいだに広岡家を訪れ、広岡を殺害した「男」はべつにいるにちがいない。

（おそらく、そいつが順子の愛人やな——）

横沢は確信した。

署長がどう言おうと、刑事課長が泣いて頼もうと、横沢は一人だけの捜査を打ち切るつもりは毛頭ない。

（いまに見てろや、あの女、必ず動く——）

横沢はワナを仕掛けた猟師のように、舌舐りして待ちつづけているのだ。

順子の車は浜大津の桟橋専用の駐車場に入っていった。

そのころには、陽は西の山の端にかかり、琵琶湖を渡ってくる風が、焼けたアスファルトを急速に冷やしはじめていた。

横沢も順子に続いて、駐車場に車を乗り入れ、順子の車から二十メートルばかり離れた位置に停まった。

守山からずっと尾行てきたのを、順子も百も承知に決まっている。もはや、横沢には、隠れて探ろう——などという考えはなくなっていた。いまさらコソコソしてもしようがない——という開き直った態度でいる。

広岡順子は車を出ると、こっちにチラッと視線を送ってから、真っ直ぐ桟橋のほうへ歩きだした。

(どこへ行く気かな?——)

横沢は順子の自信たっぷりの歩き方に、いささか不安を感じた。

順子は遊覧船の切符売り場に立ち寄った。どうやら船に乗るつもりらしい。

(まさか——)

横沢は意表を衝かれた。順子が一人で遊覧船に乗るなどとは、予想もしていなかった。しかも、順子が切符を買ったのは、なんとかいう、ドデカイ外輪船で、ディナーつきの乗船料もばかにならないと聞いた。

慌ててポケットをまさぐったが、大した金の持合せがない。遊覧船に警察官が無料で乗船できるものかどうか、横沢は一生懸命、服務規定を思い出そうとした。

正規の捜査を遂行(すいこう)しているときなら、多少の強引さでもって、警察手帳をチラつかせるのだが、この際はまずい。

しかし、横沢は、ともかく順子を追って桟橋へ急いだ。改札のゲートを通るとき、手帳を見せた。係員は当惑したような顔をしたが、制止はしなかった。

外輪船の名は「ミシガン号」というのであった。浮き桟橋に横づけになって、アメリカ人の若い男女、数人が制服を着て「イラッシャイマセ」などと、片言の日本語で陽気に挨拶し、乗船する客を迎えている。

お客はつぎつぎに乗り込んでゆく。まだ夏休み前で、小さい子供の姿は少ないが、お客の数はけっこう多い。団体客もあるらしい。背広姿のサラリーマン風の集団もいた。

順子はあっけなく人ごみの中に紛(まぎ)れ込んで、見えなくなった。

横沢は焦(あせ)った。こういう堂々としたやり方があるとは思わなかった。この船の中に順子の愛人――共犯者――が乗っていることは間違いないのだ。

桟橋の上でウロウロしているうちに、出航の時刻がきたらしい。若いガイジンが愛想のいい顔で何か呼びかけた。「お乗りになるのですか？」と訊いているにちがいないが、英語はさっぱりの横沢だ。

ええい――とばかりに桟橋から、低い下甲板に飛び移った。

「イラッシャイマセ」

ブロンドの青年が寄ってきて、「チケットクダサイ」と言った。

横沢はとっさに手帳を出した。青年は当惑して、何か言ったが、横沢はひたすら手帳を示し、

「ポリスよ、アイアムポリス」と叫んだ。

「ポリス？……」

青年は一瞬ひるんだが、仲間を呼び、大勢が横沢を取り囲む態勢になった。困ったような笑顔を浮かべる者が多く、害意は感じられなかったが、なにしろでかい。見上げるようなガイジンの壁に向かって、横沢はさらに手帳をつきつけた。

そのうちに日本人の支配人らしき男がやって来た。

「何かございましたのでしょうか？」

言葉つきは丁寧だが、難詰（なんきつ）するような眼を向けて言った。

「ちょっと乗せてもらいたいのやが」

「チケットはお持ちでしょうか？」

「いや、持っていないが、ある人物を追い掛けておるのです」

「ある人物……何かの事件の犯人ですか」

「いや、そういう……まあ、その疑いがあるいうことですな」

「しかし、それは困ります。捜査令状でもあるというのならべつですが」

「そんなものは……」

横沢は舌打ちした。

「そしたら訊きますがね、たとえば、ある人物が、爆弾を抱えておるいう疑いがある場合でも、乗せんいうことですか？」

支配人は脅えた顔をして、すぐに「冗談を言わないでください」と、声を抑えて怒鳴った。船を預かる人間としての、強さが感じられた。

「いや、たとえばの話です」

さすがに横沢も言い過ぎたと思って、怯んだ表情になった。

「どうぞお引き取りください」

支配人はあくまでも丁重に言い、笑顔で周囲のスタッフに合図した。若いガイジンたちが、「アリガトウゴザイマシタ」と、招かれざる客を賑やかに送り出した。

桟橋に下りかけて、横沢はふと思いついて、支配人を振り返った。

「それじゃ、このまま引き上げますがね、ひとつ、おたくに頼みたいことがあります」

「はあ……」

支配人は浮かぬ顔で顔を寄せてきた。

横沢は手帳に挟んだ写真を取り出した。

「この女性が一人で船に乗ったのですがね、相手のお客がどういう人物か、見届けていただきたいのやが」

「はあ、困りましたねえ……」

「いや、おたくさんには絶対に迷惑はかけませんのでね、なんとかお願いしますわ。もちろん、切符を買って乗るぶんには、問題はないのでしょうが、財布を車に置いてきてしもうてから……それに、なんぼ客であっても、刑事みたいなもん、乗らんほうがええのとちがいますか？」

「分かりました、一応、おっしゃるようにしましょう」

「ありがとうございます」

横沢は最敬礼した。

「そしたら、この船が着くころ、ここに来とりますので、そのお客が下りるとき、教えてくれますか」

「はい、承知しました」

支配人は目をつぶって頷き、スタッフに向けて「出航」と叫んだ。

5

琵琶湖の風景はぐんぐん夕闇に包まれていった。それと反比例するように、船の中の華やぎは高まってゆく。

アーリーアメリカン調に飾られた広いレストランは、かなりの客が入っているけれど、それでもまだ、テーブルにはゆとりがある。そのあいだを縫うようにして、アメリカ留学生のボーイやウェイトレスが軽やかに動き回る。

アメリカの青年はどうしてこうも陽気で、そのくせ礼儀正しいのだろう——と、浅見は自分の引っ込み思案やぐうたらが、少し恥ずかしかった。

出航してまもなく、広岡順子が浅見のいる席にやって来た。

「広岡でございます」と挨拶したが、名前を聞かなくても、ずっと前から、浅見には順子が識別できていた。

相川が控え目に言っていた以上に、広岡順子は魅力的な女性であった。いたいたしいほどに色白で、もうちょっとふっくらしたほうがいいな――とは思うが、大きい千鳥格子柄のワンピース、黒ベルトに黒いパンプス。ほとんど化粧っ気を感じさせないにもかかわらず、派手なアメリカ娘よりも目立つ存在感があった。

不幸のせいなのだろう、いくぶん伏目がちだが、真っ直ぐにこっちを見たときの大きな目には、思わずたじろぐほどの聡明さと、強い意志が光っていた。

短い挨拶を交わし、しばらくのあいだは会話もあまり進展しなかった。浅見はもともと人見知りするたちだが、順子のほうも言葉の選びように困っているらしい。

それに、料理が運ばれてくると、たえずザワザワとして、秘密めいた会話をするムードではなくなってしまった。

料理はオードブルからスタートする、まずまずのコースだった。浅見はいつだって食欲だけは万全な男だが、順子はそれぞれの皿に手をつけた程度で、あまり食が進まない様子だった。

唐崎を過ぎ、坂本、雄琴、そして堅田の浮御堂の前を過ぎるあたりで食事は終わる。ガイドのアナウンスに耳を傾けながら、デザートのメロンを食べ、コーヒーを啜った。

ガイドは琵琶湖で遭難した十二人のボート部員の話をして、その悲劇を歌った歌を流した。「遠くかすむは　彦根城……」という歌い出しを聞いて、浅見は今日、登ったばかりの城を思い出した。

波に暮れゆく　竹生島
三井の晩鐘　音絶えて
なにすすり泣く　浜千鳥……

歌はえんえんとつづく、長い歌詞であった。遭難事件があったのは、昭和十六年――太平洋戦争の始まった年だという。戦争に行かずに死んだ若者たち。戦争へ行って死んだ者たち……そしていま、戦争相手だったアメリカの若者が、ここでアルバイトをしている。思えば奇妙な巡り合わせだ。

琵琶湖大橋の下をくぐり、ゆっくりとUターンするころ、上甲板でデキシーランドジャズの演奏が始まり、客たちの多くはテーブルを立った。ことに若いカップルは全員がいなくなった。やがて、ジャズを聴かない人々も席を離れ、船縁に佇んで、波にゆらめく湖岸の灯を眺めながら、思い思いのひとときを楽しんでいる。

レストランに残ったのは、浅見と順子と、それから、三つ離れたテーブルの若い女性の独り客と、反対側の一角で何やら盛り上がっている、年輩のサラリーマン風のグループが十人ばかりいるだけだ。

「手短に、結論から聞かせていただきたいのですが」

浅見はさり気なく、世間話でもするように装いながら、ズバリと言った。

「奥さんは、ご主人を殺した犯人に心当たりがあるのでしょうか？」

「もちろん……」

順子は反射的に言って、それから眉をひそめ、呟くように言った。

「最初は、間違いなく上島総業の人間の仕業だと思いました。でも、はたしてそうなのか、いまは正直なところ、分からなくなってしまったのです」

「それはなぜですか？」

「上島総業の人間ならば、あんなふうに注意深く、自殺を偽装するようなことはしなかったのではないかしらって、そんな気がしてきたのです」

「しかし、自殺と思わせれば、警察の追及を受けずにすむでしょう。殺人事件となると、動機の点から言って、第一に容疑を受けるのは、上島総業関係の連中ということになるに決まっていますからね」

「ええ、それはたしかにそのとおりかもしれません。でも、何て言ったらいいのか……勘とでもいうのでしょうか、あの人たちの仕業じゃないっていう……つまり、そういうこまやかな配慮のできる人たちではないように思うのです。でも、うまく説明はできませんけれど……」

「なるほど、いや、分かるような気がしますよ」

浅見は頷いた。

「だとすると、常識的に言って、やっぱり、自殺ではなかったかということになると思うのですが？」

「ええ、誰だってそう思いますよね、警察は最初からそうなのですし。でも違うんです。広岡は絶対に自殺なんかしない人です。そんな弱い人間ではないのです。そのことは私がいちばんよく知っています。第一、もし間違って自殺だとしても、それならどうして遺書がないのでしょうか？　広岡はこの世の中に、まだいっぱい、言いたいことがあったはずです。言っておかなければならないことが、山ほども……ですから、私は広岡の病気を知ってからずっと、その事実を広岡に伝えるべきかどうか、迷いつづけていたのです。知らないで、何も言い遺すことをしないまま死んでしまうようなことがあったら、広岡は死んでも死にきれないと思ったのです。その広岡が遺書も残さずに自殺するなんて……」

順子は首を振り、大きく溜め息をついて、沈黙した。

レストランはいよいよ閑散としてきた。テーブルの上を片づけていたアメリカ人の若者たちも、ほとんどが上甲板に上がって行ったらしい。遠い席のグループの、声高に喋る声が、やけに耳障りだ。

「ご主人が奥さんを外に出した経緯といい、亡くなられたときの状況といい、警察が自殺と断定するのも当然なような気がします。それにもかかわらず、奥さんが……それに、横沢という部長刑事が、あくまでも殺されたと信じているのは、たいへんな錯誤かもしれません」

「…………」

順子は浅見の言葉を聞いて、白い顔に落胆の色を浮かべた。

「しかし、たとえ錯誤であっても、まったく立場の異なった、いわば敵と味方のような二人が、同じような錯誤を犯しているというのは、興味深い事実です」

「興味……」

順子は神経質に反応した。

「あ、いや、言い方が悪かったら勘弁してください。僕は思慮の足りない人間で、思ったことを不用意に口に出してしまうヘキがあるのです。ただし、奥さんの不幸な状況には心からご同情申し上げますけど、いたずらに感情移入はしないつもりです。そうでないと、冷静な判断ができなくなりますからね」

「分かりました」

順子はいっそう表情を硬くした。

「浅見さんは、物事を冷たく突き放して見ることのできる方なのですね。そういう人でなければ、名探偵にはなれないということでしょうね。どうぞご自由に、興味を持ってご覧になってください」

「いや、僕は何もそういう……」

浅見は弁解しかけたが、じきに諦めた。

「それでは、あらためてお訊きしますが、まず、その前に、奥さんご自身の頭の中を、犯人が誰かとか、そういう憶測めいたものを取り除いて、完全に真っ白にしていただきたいのです」

浅見がふいに妙なことを言い出したので、順子は虚を衝かれたような顔になった。

「その上で、何か、奥さんの心の中にひっかかるものがあれば、それを話してみてください」

順子はゴクリと唾を飲み込んで、頷いた。

それからかなり長いこと、知らない者が見たらまるで恋人同士のように、二人は黙って、テーブルの上を見つめていた。

「いま思い返すと、事件の少し前に広岡の言ったことで、一つだけ、気になることがあります」

順子はポツリと言った。

「おやじが――と彼はそう言ったのです――『おやじが、いつだったか、このままやったら琵琶湖は死ぬでと言ったことがある。死なんようにせなあかんが、おれは何もでけん。おまえが死なんように頑張れと言っていた』と言って、しばらく黙っていてから、『僕はたぶん、琵琶湖のために死ぬことになるやろな』と、そう言ったのです。そのときは、ひとつの覚悟のような意味で、その話を披瀝したのだと思ったのですが、こうなってみると、何か、その時点で思い当たることでもあったのではないかって、そんな気がするのですけれど」

「ご主人がそうおっしゃったのは、いつのことですか？」

「たしか、事件の起こる一週間ぐらい前だったと思います」

「どこで、どんな状況のときですか？」

「は？……」

順子は浅見の真剣な目に気付いて、急に自分の記憶の底を見つめ直した。

「あれは、外出から戻って……そう、雨の日の夕方でした。濡れた上着を着替えながら、ふいにそんな話をはじめたのです」

「ほう……」

浅見は視線を左右に揺らした。

「上着が濡れていたのですか」

「ええ、雨でしたから……」

「にわか雨でしたか？」

「いいえ、確かあの日は、走り梅雨みたいに、朝からずっと、小止み（こや）なく降っていましたけれど」

「それなのに、傘も持たずに外出しておられたのですか？」

「まさか……傘はちゃんと……あら、そうだわ、どうしてそんなに濡れていたのか、私も不思議に思って、訊いたんだわ……」

「それで、ご主人は何て答えました？」

「さあ、どうだったかしら？……」

そのとき、遠い席の男たちのグループから立ち上がった男が、何やらわめきながら、こっちへ向かって来るのが見えた。明らかに酔っていて、仲間が制止しようとするのを振り切って、よろけながら近づいた。

しかし、男の目当てはこのテーブルではなく、三つ隣のテーブルの、若い女性の独り客であった。男は五十歳前後だろうか、その年齢のわりには、大柄で服装は一応、紳士の恰好だが、かなり酔いが回っているらしく、顔はだらしなく歪んでいる。

「やあ、あんた、お独りでっか、寂しそうにしてますなあ」

酔客は馴れ馴れしく言って、若い女性の隣の椅子に座り、女性の腕を掴んだ。女性は逃げることもできず、身を引き、脅えた目で男を睨んだ。

はじめ、背を向けている順子は気付かなかったが、その騒ぎで後ろを振り向いて、男の顔を見たとたん、小さく「あっ」と叫んだ。その声が男の視線をこっちに向けた。

「あれ？　あんた、たしか広岡の……」

男は新しい獲物を発見した興奮で、眼が異様に輝きを帯びた。

「知っている人ですか？」

浅見は順子に訊いた。

「ええ、上島総業の、たしか土木部長だったと思います。広岡をもっとも憎んでいた人です」

順子は早口で言った。

男は意味不明の言葉を吐きながら、若い女性の腕を掴んだまま、立ち上がった。

第三章　湖西に死し湖東に死す

1

浅見光彦は三十三歳にもなって、いまだに親と兄の家に居候を決め込んでいるくらいだから、主体性という点については、あまり大きなことは言えない。

そのせいか、世の中の不合理や非条理に対して、敢然と立ち向かう――などといった恰好のいい振る舞いは苦手な男だ。むしろ大抵のことには寛大であったり、理解を示したりして、ひたすら平穏無事を祈るケースが多いのだ。

しかし、そういう浅見にも「大嫌い――」と声を大にして宣言したいものが二つある。暴力と酔っぱらいである。

その二つを兼ね備えた男が、若い女性の腕を摑んだまま、こっちのテーブルに突進してきた。女性は腕を引っ張られ、半分倒れかかった状態で、いまにも泣きそうな顔をして引きずられている。男は酔っぱらってはいるけれど、一見、紳士風であるだけに、遠くに屯しているウェイターたちの目には、ちょっと度の過ぎた冗談――ぐらいにしか見えないのかもしれない。

しかし、若い女性にしてみれば、必死の抵抗を試みていることは、彼女の恐怖に満ちた表情を見れば分かる。

(許せない――)

浅見はほとんど無意識に立ち上がった。こんなふうに衝動的に関わりあっては、いつも後悔する結果に終わる。それが分かっていながら、意志とは関係なしに、体のほうが先走ってしまう。

浅見はテーブルを回って、広岡順子を庇うように立ちはだかった。そのときには、すでに酔いどれ紳士は目の前にいた。

「何や、おまえは?」

口汚く罵った。

「人間です」

間抜けな答えを言いながら、浅見の中に半分だけ存在する理性は、早速、後悔を始めていた。

(あーあ、また二つ三つ殴られることになるか――)

殴られるのは痛いが、ここまでくると、もはや引っ込みがつかない。行くところまで行くしかない。まあ、相手は土建屋か何か知らないけれど、たかが酔っぱらいではないか。それに、彼も人、我も人なのである。むこうだって、殴られるのは怖いにちがいない。

「とにかく、その女性の腕を放しなさい」

浅見は、まだ相手の拳が届かない距離であることを計算に入れながら、言った。浅見のほうが長身だから、見下ろすような恰好になって、それはそれで威厳がある。酔いどれ紳士は片手が塞がっていては分が悪いと判断したのか、女性の腕を放した。

女性は解放されたが、それによって「紳士」と浅見との間合いは、ほとんどくっつきそうな距離になった。

「おい、そこ、のかんかい」

紳士は浅見の胸倉に手をかけた。酒臭い息がワーアッと吹きかかって、思わず浅見は顔を背けた。それを「紳士」は怯懦と見たらしい。浅見を押し除け、順子の肩に触れようとした。

順子は「紳士」の手を払った。「紳士」の体は目標を失ったかたちで、身を避けている浅見に、もろにのしかかってきた。

浅見は無意識に体をひとひねりした。その回転に乗っかるように、「紳士」は床に転倒した。それも、もろに棒が倒れるように顔から突っ込んだからたまらない。まともに鼻を打ったとみえ、振り仰いだ顔の真ん中から血が吹き出していた。

若い女性が「キャッ」と叫んだ。その悲鳴を聞いて、「紳士」の仲間と、アメリカ青年のウェイターたちがやって来た。

「紳士」の仲間は、最前からの一部始終を見ているから、困ったものだ——という顔を見交わすばかりだが、ウェイターたちはことの真相を知らない。「ケンカ、ダメネ」などと言って、浅見に詰め寄った。

若い女性が「ノー」と、浅見とアメリカ青年のあいだに割って入った。流暢な英語で、悪いのは「紳士」のほうだと説明した。ウェイターたちはむろん、フェミニストの国から来た、正義感の強い年代の連中である。レディーの言葉を素直に信じてくれた。

そのころには「紳士」はようやく立ち上がったが、ひどい鼻血である。仲間たちがハンカチで鼻を抑えてやって、上を向いた恰好で席のほうへ引き上げて行った。ウェイターも付き添っているから、たぶん医務室にでも行くのだろう。

「ありがとうございました」と若い女性が言い、同時に浅見も「助かりました」と礼を言った。ほっとした気持ちと照れ隠しで、二人とも笑い出した。

「ご一緒に、こちらでいかがですか？」

広岡順子が娘に椅子を勧めた。

「ええ、でも……」

娘は順子と浅見の顔を交互に見て、逡巡（しゅんじゅん）している。

「あら、私たちならいいのです、もうお仕事の話はすみましたから」

順子はおかしさを堪（こら）えながら言った。

「森史絵（もりふみえ）といいます」

娘は椅子に腰を下ろしかけて、あらためてお辞儀をして、名乗った。順子も浅見もそれぞれに自己紹介をした。

「どうしようかと思いました」

史絵はさっきの騒ぎの発端を思い出して、恐ろしげに肩をすくめた。

「一人で旅すると、ああいうことがいちばん怖いんですよね」

「お一人？」

順子は感心した。

「ええ、一人のほうが気が合っていいでしょう、だから」

史絵はしゃれたことを言って、浅見と順子を笑わせた。

「でも、あなたみたいな美しいひとが一人旅だなんて、世の男性諸氏は何をしているのかしらねえ」

順子は皮肉な目で浅見を見返って、笑いかけた。浅見は神妙に畏まって、「まったく」と言った。それでまた、笑いになった。さっきのひと騒動が、それぞれの気持ちを少し高ぶらせている。

「浅見さんて、お強いんですね。見た感じだと、そんなふうには思えないけど」

史絵は尊敬のまなざしを浅見に向けた。

「ははは、実体は見かけどおりです。さっきのあれはものの弾みですよ。本来なら、いまごろ、鼻血を出して、引っ繰り返っているのは、僕のほうだったにちがいない」

「嘘ですよ、浅見さんは合気道の達人なんですよ」

順子が面白そうに言った。

「でしょう、そうだと思いました」

史絵が真顔で頷くのを見て、順子は笑い、笑いながら冷めた目になって、「こんなに笑えたの、久し振りだわ」と呟いた。

史絵の物問いたげな目が、浅見に向いた。

「広岡さんは、つい最近、ご主人を亡くされたばかりなのですよ」

浅見は言った。

「そうだったのですか……」

「いやだわ、そんなふうに同情的な目で見ないでください。そういつまでも落ち込んではいられないのですから。それより、お近づきのしるしにお酒、少し、いいでしょう?」

順子は、はしゃいだ声で言って、ウェイターを呼んで、ワインを注文した。

ワインで乾杯して、史絵はおそるおそる言った。

「あの、こんなことお訊きして、失礼かもしれませんけど……」

「ん?……」

順子は小首をかしげ、すぐに気づき、くすぐったそうな微笑を浮かべて、「それ、私と浅見さんとの関係についてでしょう」と言った。

「えっ、ええ、そうですけど……よく分かりますねえ」

「だって、ほかにそんな、遠慮深く訊かなければならないことって、ありませんもの。それでしたら、ご心配なく、私と浅見さんは赤の他人――というと浅見さんに失礼だけど、やっぱりそうでしょう?」

「はあ……」

浅見は苦笑した。

「しかし、せめて『友人』ぐらいのことはおっしゃっていただきたいです」

「あ、それはだって、言わずもがなですもの。つまり、そういう関係ですよ。それもね、ついさっき知り合ったばかり」

「そうなんですか、もうずっと前からのお知り合いかと思いました」

「あら……ほんと、そういえばずいぶん親しそうに口をきいていました。でも、それはあなたのせいかもしれないわ」

「えっ？　どうして私のせいですか？」

「若くて魅力的なひとがいると、男性は妙に気分を浮き立たせるものです。ね？」

話をふられて、浅見はドギマギした。

「えっ、僕がですか？　嘘ですよ、そんなこと、ぜんぜん考えていませんよ」

「あら、それじゃ、森さんが魅力的じゃないっていうこと？」

「あははは」

他愛ない会話だったが、夫の死以来、肩怒らせるような毎日だった順子にとっては、たしかに、久し振りに寛いだ気分がするにちがいない。

「ところで、あの男が上島総業の人間だとすると、このあと厄介なことになるかもしれませんね」

浅見は浮ついた気分を引き締めるように、言った。

「そうですね、私はともかく、浅見さんにとばっちりが及ぶといけませんね。いま上島総業は八方塞がりで、多少、自棄っぱちになっているところがありますし、何をするか分かりません」

「いや、僕は東京へ逃げて行けば、それですみますが、広岡さんはここにお住まいだから大変だ」

「あの……」と、話題から取り残されたかたちの史絵が、脇から言った。

「さっきの人、怖い人なんですか？」

「え？　ああ、ヤクザではないですけど、ちょっと危険な人なんですよ。もしかすると、私の主人を殺した仲間かもしれない」

「えっ？　殺した……って、それ、ほんとなんですか？」

史絵は脅えて、「紳士」の去って行った方角に視線を走らせた。

「分からないんです。警察は自殺だろうって言ってますけどね。でも私はそうじゃないって信じてます」

順子は「信じてます」と言うときに、浅見の顔を睨むようにした。

「僕も信じてますよ」

浅見は微笑を浮かべながら、静かにそう言った。

「広岡さんのご主人は殺されたのです」

断言する言い方に、順子のほうがむしろ驚いた。

「ほんとにそうお思いになるんですか？」

「ええ、思います」

「嬉しい……」

順子は「ほうっ」と吐息をついた。

「これでやっと、他殺説を信じてくださる仲間が一人、できました」

「いや、二人でしょう」

「え？　いいえ、相川さんは必ずしも信じてくれてはいないみたいですよ」

「いや、彼ではなく、べつにいるじゃありませんか、守山署の刑事が」

「ああ、横沢っていう、あれ？　しつこくていやなヤツ」

「しかし、警察側から見れば、頼もしい刑事ですよ」

「それは、まあ、そうかもしれませんけど。でも、ほんとにしつこいんですよ。さっきもこの船に乗るところまで尾行して来ていました。ほとんど意地になっているのじゃないかしら」

「まあそうでしょうね、誰と会うか、どこまでもマークする気でしょう」

「ええ、そうみたいです。さっき、この船に乗ろうとして断られて、すごすご引き上げて行きました」

「熱心な、いい刑事ですねえ」

「呆れた……」

順子は苦笑したが、怒りはしなかった。公平に物を見ることのできるひとだ――と浅見は思った。

「あなたはいつ、琵琶湖に？」

順子は史絵に訊いた。

「昨日からです。もう一泊して、明日、近江八景を全部、見物して帰ろうと思っているんですけど」

「八景を全部？　大変だわ、それは……あ、そうそう、でしたら浅見さんの車に乗せていただけばいい。ね、そうしなさいよ」

「そんな……」

「あら、大丈夫ですよ、この方、信用していいですよ。いやだったら、途中で下りてしまえばいいのです」

「いえ、そうじゃなくて、浅見さんにご迷惑ですよ、そんなの……」

史絵は赤くなって手を振っている。

「ご迷惑なものですか。あなたのような女性をエスコートできる幸運を、感謝していらっしゃるわ、きっと、ね、そうでしょう？」

目の奥を覗かれて、浅見は「はあ、もちろん大感謝です」と笑った。それはかなりの部分、本音でもあった。

2

広岡順子とは船の中で別れの挨拶をした。船が浜大津の桟橋に着くと、アメリカ青年男女が下甲板に整列して、賑やかに乗客たちを見送る。

順子は乗客の真ん中あたりで下りて行った。鼻血紳士はその少しあと、浅見は最後のほうから、森史絵と一緒に下りた。ウェイターの一人が「ダイジョブ？」と声をかけ、史絵も「サンキュー」と応じた。ウェイターは浅見に向けて片目をつぶり、「グッドラック」と親指を立てた。

「そういうのじゃないのに」

浅見は大いに照れて、一人で顔を赤くして、史絵に「すみません」と謝った。

「あら……」

史絵も困った顔をしたが、浅見ほどにはうろたえない。

桟橋を歩きだして、少し行ったところで、背後から「もしもし」と呼ばれた。振り返ると、がっしりしたタイプの中年男が立っている。「ああ」と浅見にはすぐに分かった。

「横沢さんですね、広岡さんなら、もうとっくに下りて行かれましたよ」

「なんや、名前まで知ってはるのですか」

横沢部長刑事はいまいましそうな顔で、順子の去って行ったほうを一瞥した。

「いや、あっちはええのです、自分はおたくさんに用があるのです」

いいながら手帳を出して「守山署の横沢といいます」と名乗った。すでに分かっているというのに、そうしなければならないという服務規程があるのかもしれない。

「えーと、おたくさん、広岡順子さんとはどういう関係ですか？」

「どういうって……赤の他人です」

浅見は順子が言っていた表現を使った。

「赤の他人にしては、一緒に食事をしたりしたそうじゃないですか」

（へえ——）と浅見は感心した。順子の話だと、横沢は桟橋から追い返されたそうだが、いつのまにスパイを用意したのだろう。やはり浅見が想像したとおり、なかなか俊敏（しゅんびん）な刑事らしい。

「しかも、上島総業の人と殴りあいをしたのでしょうが。とぼけないで、どういう関係か教えてもらいたいですなあ」

「あれは殴りあいなんかじゃないのですけどねえ」

浅見は苦笑した。内部の誰に手を回したのか知らないが、そこまで伝わっているとは、油断がならない。

「申し訳ないが、住所と名前、聞かせてもらえますか」

横沢はちっとも「申し訳なく」など思っていない口調で言った。

浅見は名刺を出した。肩書のない、名前と住所だけの名刺である。

「仕事は何です？」

横沢は語尾を上げて、訊いた。

「フリーのルポライターです」

「ふーん……」

横沢は警戒心を露（あらわ）にして、名刺を眺めた。

「そうすると、この事件を取材しよう、いうことでっか？」

「ええ、まあ、そんなところです」

「広岡未亡人からの売り込みでっか？」

「さあ、それはどうでしょうか。ノーコメントにさせてください」

「あのひとの言うことだけ聞いて書いたら、笑い物になりまっせ」

横沢は釘を刺して、「そちらさんは？」と史絵に目を向けた。

「船で知り合ったお嬢さんです」

「酔っぱらいに絡まれているのを、浅見さんに助けていただいたんです」

史絵が補足説明を加えた。横沢は「ふーん……」と見直したような目付きで、浅見をまじまじ眺めた。

「まあ、そしたら、夜も更けたから、気イつけて行ってください」

「では」と浅見が頭を下げるのを、慌てて押しとどめた。

「あんたは待ってくださいや、もうちょっと話があるよって。お嬢さんだけいう意味で言うたんですから」

「しかし、ホテルまでお送りすることになっているのです」

「ホテルはどこです？」

「大津プリンスホテルですけど」

「それやったら、そこまで一緒に行きましょうか」

横沢はさっさと歩きだした。

「なるほど、広岡さんが言ったとおり、しつこい刑事ですね」

車に乗ってから、浅見は苦笑しながら言った。横沢の車は先導するように、前を走っている。浜大津港からホテルまではほんの五、六分の距離だ。じきにホテルの敷地内に入ってしまった。

「面倒やから、ホテルの喫茶店で話を聞かしてもらいましょうか。コーヒー代ぐらいはおごりまっせ」

横沢は一方的に言って、また先に立って歩いて行く。こっちの都合などというものは、まるで意に介さないのだろう。

森史絵とはロビーで別れた。

「明日の朝、お迎えに来ますよ」

順子の提案で、そういう約束になっていた。史絵は「すみません」と恐縮しながら、嬉しそうにエレベーターに消えた。

「可愛い娘さんですなあ」

横沢は面白くもなさそうに言った。

「ああいう娘が一人で旅しとって、ええもんじゃろか」

「いいじゃありませんか、それだけ日本の社会秩序がしっかりしているという、証拠なのですから。そう、もちろん警察のお蔭なのでしょうけど」

「まあ、そらそうですがね」

横沢は約束どおりコーヒーを奢ってくれるらしい。ボーイに注文して、「ところで」と言い出した。

「あの奥さん、何て言うてました？」

「というと？」

「つまり、ご亭主が死んだことについてですな、自殺やとか殺されたとか、です」

「もちろん、殺されたのではないかと考えておられるようですよ。その点では横沢さんと意見が一致しているのでしょう？」

「何が一致ですかいな、ぜんぜん違ごうとります」

「しかし、誰もが自殺説を取っている中で、お二人だけが他殺説を主張しているという点では、同じじゃありませんか」

「うーん……それはまあ、そうだが。それで、彼女は何やと言うてました。犯人の心当たりやとか、殺された理由とかについては」

「このことはたぶん、まだ警察には話していないと思いますが、亡くなる少し前に、ご主人の広岡さんが、死ぬことを予感したようなことを言っていたのだそうですよ。自分は琵琶湖のために死ぬことになるだろうと——そういう意味のことを言われたそうです」

「琵琶湖のために死ぬ——いうたら、要するに、広岡さんがやっとった、琵琶湖の水を守る運動のために死ぬ——いう意味とちがいますか」

「ええ、奥さんもそう思ったと言うのですけどね、しかし、広岡さんの性格からすると、そんなキザなことを言うのには、それなりの背景なり、理由なりがあったと思うのです。死を予感するような何かがあって、そう言われたのではないかと思うのです」

「死を予感する何か——とは、肺癌のことやろか？」

「いや、それとは違うでしょう。病気なら、琵琶湖のために——などとは言わないはずです」

「そしたら、何です？」

「それが分かれば苦労はないですが……いずれにしても、そんなことがあった一週間後に、予感が現実のものになったのですから、ただの偶然と見逃してしまうべきではないと思うのですがねえ」

「偶然でないとしたら……」

「死を予感したのはなぜなのか、それを探るべきですよ」

「そう言ったって、簡単に分かるものではないでしょうが」

「しかし、警察の力をもってすれば、分かりますよ、きっと。その話をしたのは亡くなる一週間前——朝から雨が降りつづいていた日だそうですから、広岡さんがどこで何をしていたのか、誰と会っていたのか、手掛かりが摑めるかもしれません」

「そんな……なんぼ優秀な警察やいうても、そら難しいわ」

「難しいけれど、やってみなければ分からないじゃないですか」

「うーん……」

「それに、ぜんぜん手掛かりがないわけでもないのです。広岡さんが会った相手は、たぶん地元の人ではなく、しかも女性か、あるいは病人か……とにかく広岡さんよりは弱い立場の人間であったと考えられるのです」

「はあ？　どうしてそんなことが分かりますねん？」

「広岡さんはその日、ちゃんと傘を持って出ていたのに、帰ってきたときには、かなり濡れそぼっていたそうです。あの日は朝からの雨ですから、地元の人なら傘を持って出ていたはずだし、それに、広岡さんと同等以上の一人前の男性なら、何も自分の上着を濡らしてまで、傘をさしかけてやることはしないでしょう。そうそう、もう一つ、その相手とは屋外で会っていたということも、つけ加えたほうがいいですね」

「ふーん、なるほど、女か……月並みかもしれんが、犯罪の陰に女がおってもおかしくはないなあ。それはまあ、あんたの想像どおりかもしれんが……しかし、たとえそういう人物と会っておったとしても、その人物が事件に関係あるいうことはないでしょうが」

「それは、実際に探し出してみないことには分かりませんよ」

「どうかなあ……」

横沢は苦い顔をした。素人に指図されること自体、面白くないのだ。

「横沢さんは広岡夫人が犯人または共犯者だと思っているそうですが、その可能性は僕も否定しません」

「ほう、あんたもそう思ったかね」

「ええ、いや、どう考えようと、考えるのは自由だ――という意味でです。それより、広岡さんが自殺などしないという前提に立つことが大切だと思うのです。その点で、僕は横沢さんの炯眼には敬服します」

「そう言われると、ちょっとばっかしくすぐったいなあ。自分も、そう大した確信や論拠があるわけやないのでね。ただ、被害者の死に顔を見た瞬間、これは殺しやな――と直感的に思うただけで」

「その直感がすごいと僕は思うのです。やはり長年培った、ベテラン刑事さんの眼力というものでしょうね」

「まあ、そういうもんかなあ……」

横沢は満更でもなさそうに、不精髭がブツブツと生えている顎を撫でた。

「しかし、浅見さん、あれが殺しやとしたら、あんた犯人は誰やと思うのかね？　やっぱし上島総業の連中、いうことかな？」

「いや、そうじゃないような気がします。もし上島総業の誰かがやったのだとしたら、今夜、船の上で上島総業の土木部長が広岡夫人に絡んできたのはおかしいですからね。たとえヤクザめいた連中でも……いやヤクザであればあるほど、殺した相手の未亡人に、さらに追い打ちをかけるようなことはしないものです」

「それは言えてるわな。したがって、自分が言うてるように、犯人は広岡夫人や、いうのです。あんた、否定しきれますか？」

「さっきも言ったように、僕はあえて否定はしません。考えるのは自由です。ことは信念の問題なのです。広岡夫人が犯人ではないという信念に立ってどう考えるか……そこからスタートするのでなければ、真実は見えてこないと信じているのです」

「かりにやね、かりにそう信じて、あんた、何か見えてきましたか？」

「その質問は逆に横沢さんにお訊きしたいですね。横沢さんは広岡夫人が犯人だという信念を持っている。だから、すべての事象(じしょう)を、その仮説に都合のいい方向で解釈しようとするわけです。たとえば、広岡夫人なら鍵を持っているのだから、密室は成立しないといったようなことです。しかし、もしその前提を捨ててしまったとしたら、まったく違う状況を考えなければならないわけでしょう。広岡夫人は犯人ではない。しかも広岡氏は自殺ではない——という前提で考えるとしたら、どのような条件があれば、現場の状況を構築できるか——それを突き詰めてゆけば、何かが見えてきそうな気がします」

「ふーん、何かがねえ……」

横沢はしきりに首を振って、それこそ「何か」を見ようと瞳を凝(こ)らした。

「それで浅見さんは、いったい何が見えてくる言うのです？」

結局、横沢は諦(あきら)めて、訊いた。

「現在までのところはっきり言えることは、犯人は広岡さんと顔見知りの人物であることぐらいです」

浅見はあっさり言った。

「それ以外のことは、警察が、あの雨の日に広岡さんと会った人物を特定してくれるか、いっそ、事件当日の訪問者を探し出してくれるのを待つばかりです」

「それが簡単でないと言うとるのですよ」

「簡単だとは思いませんが、少なくとも、問題の雨の日のことについては、これまでまったく何もしなかったのですから、思いがけない収穫が期待できるような気がするのですがねえ。そうは思いませんか？」

「うーん……まあ、やってみな、何とも言えませんけどな」

横沢は立ち上がった。

「一応、上司に言ってみますが、はたしてその気になるかどうか、はなはだ疑問いう以外、ありませんなあ」

難しい顔で、別れの挨拶もせずに行ってしまった。

浅見もひと足遅れて、車に戻った。

彦根の相川の家には夜中に帰着した。

「おい、どうだった？」と、すぐに相川の質問攻めにあったが、自慢できるほどの収穫はないに等しい。

それでも横沢が接触してきた話は、相川を興奮させた。

「そうか、あの刑事はそこまでしつこく、広岡夫人を追っているのか」

「熱心な、いい刑事だよ」

「何がいい刑事なものか。蛇みたいに執拗なだけではないか。それに、相手が女性だけに、何か不純な目的があるのかもしれない」

「ははは、そんな邪推をすると、語るに落ちるよ」

「ん？　いや、そういう意味で言っているのではないけどね」

相川は懸命に弁解した。

3

朝六時ちょうど——いつものように須田ミキは表の道路の掃除にかかった。

観光船の船着き場に下りて、浮御堂へ向かう客は、まずこの道を通って行くことになる。軒の低い家並みと掘割のあいだの細い道である。百メートルばかり先で、左に折れるのだが、せめてそこまでを、きれいに掃除して、観光客を気持ちよく迎えてあげよう——というのが、ミキの想いだ。

掘割は幅三メートル足らず、石積みの岸壁がストンと落ち込む溝で、流れてきた水は琵琶湖に直接注ぐし、琵琶湖の水嵩が増えれば掘割の水位も上がる。

(それにしても、なんちゅう臭さやろ——)

毎日のこととはいえ、須田ミキは思わず鼻を抑えた。掘割の水はさかんにメタンガスを発生させている。夏になって、夜間の気温があまり下がらなくなると、朝からこうしてメタンが発生し、辺り一帯に臭気をまき散らす。水面には、あぶくに押し除けられるように、フナがアップアップと呼吸をしている。

（このままやったら、琵琶湖はあかんようになってしまう——）

ミキはそれを思うと、いても立ってもいられない気持ちだ。さりとて、無力な庶民にどうするアテもない。

掃除を終えると、ミキは必ず浮御堂にお参りをする。

「堅田の落雁」で名高い浮御堂は、琵琶湖の中に突き出た石橋の先に立つ、宝形造りの小堂である。湖岸に茂る老松と浮御堂の調和のとれた風景は、近江八景のうちでも代表的なものだ。

須田ミキは顔馴染みの管理人に挨拶だけして、境内に入った。まだ開場前の静謐な雰囲気を独占できるのは、須田ミキの役得というものである。

まず手前の観音堂にお参りをしてから、橋を渡って行く。浮御堂の正面でお参りをすませ、堂の回廊を左から右へとひと巡りするのが日課だ。

ミキは堂の背後に立って、東の空に向かって手を合わせる。こんなふうに、天地の森羅万象に畏敬の念をおぼえることこそが、ミキの年代では信仰のはじめであったものだ。

ミキの伏せた視線の先に、妙なものがあった。欄干に結ばれたロープである。一年三百六十五日通っているけれど、こんなものが結んであるのは見たことがない。

（何やろか？——）

ミキは欄干に手をかけ、ロープの先を覗き込んでみた。そして、その直後、腰を抜かし、背中と後頭部を浮御堂の壁にしたたかに打った。

ロープの先には人間がぶら下がっていたのである。

同じころ、対岸のはるか北のほう、長浜の湖岸に、モーターボートが漂着しているのを、付近の国民宿舎に来ていた老人グループが散歩の途中で発見した。ボートの中には若い男が倒れ、苦痛に歪んだ顔を恨めしそうに老人たちにねじ向けていた。よく陽焼け（ひや）した逞（たくま）しい若者だったが、すでに死亡していることは、誰の目にも明らかであった。

浅見光彦は、約束した午前九時より十分早く、大津プリンスホテルのロビーに到着している。チェックアウトした森史絵と、九時にここで――という待ち合わせだ。

朝のロビーは出発の客でごった返す。史絵の姿は見えなかったが、フロントもかなり混雑して、この分ではチェックアウトに時間がかかりそうであった。

浅見は、昨夜横沢と話したコーヒーハウスで一服しながら、史絵を待った。

九時を十五分過ぎても、史絵は現れない。相手は若い女性だ、お化粧に手間取っているのだろう――と、浅見は諦めて椅子に座り直した。

九時三十分になった。これはおかしい――と、浅見はようやく不安になった。何か予定が変わったらしい。

（ばかみたいだな――）

浅見は苦笑して、冷たくなったコーヒーの残りを啜った。考えてみると、若い美しい女性が、はじめて会った見知らぬ男とドライブに出掛ける気になるはずがないのだ。昨夜はつい、話の調子であんな約束をしたけれど、ホテルの部屋に戻って、冷静に思い返してみたら、なんて軽率な――と気がついたにちがいない。

娘心の気まぐれを、まともに信じるなんて、虫が良すぎる。そういうおめでたい男の顔が見たいものである。

浅見はトイレに行って、鏡の中の自分を見た。それほどひどい顔はしていない。タレントの石田純一に似て甘いフェイスだが、女たらしという印象はない――つもりであった。しかし、女性の目から見ると、頼りなく思えるのかもしれない。確かに、最後の詰めの甘さのようなもののあることは自覚している。ことに女性に対してはそうだ。いつもいいところまで行きながら、ことが成就したためしがない。

「だめだねえ、きみは」

鏡の中の男に向かって指を突き立てると、そいつは顔を歪めてそっぽを向いた。

コーヒーハウスに戻る気はなくなった。トイレから真っ直ぐ玄関に向かおうとして、浅見は一応、未練たらしくフロントに寄って、確認だけはしておこうと思った。

「森史絵さんですが、もうチェックアウトしましたか？」

フロント係はすぐに調べて、「いいえ、まだご出発なさっていませんが」と言った。

(何のこっちゃ、彼女、まだ寝坊しているのか――)

浅見は史絵の室番号を聞いて、電話してみた。ベルの信号音は聞こえるが、誰も出ない。部屋にはいないらしい——ということは、レストランで朝食でもしたためているのだろうか？——それにしたって、すでに約束の時刻を四十分も経過している。完全に約束を忘れているとしか考えられない。

受話器を置いて、茫然と佇（たたず）んでいると、さっきのフロント係が走って来た。

「あの、お客様は浅見様でしょうか？」

「ええ、そうですが」

「あ、それでしたら、ただいま森様からご伝言がございました。ご案内いたしますので、どうぞこちらへお越しください」

フロント係は先に立って歩いて行く。

フロント脇のドアから入って、オフィスゾーンの中にある応接室に案内された。

そこに森史絵がいた。

「あ、浅見さん、すみません」

史絵は泣きそうな顔で立ち上がった。向かいあって座っている二人の男も、ジロリとこっちに視線を向けて、ゆっくり立った。

（刑事？——）

浅見は直感でそう思った。

「あの、こちら、警察の……」

史絵がどう紹介すればいいのか迷っていると、男の一人が名刺を出して、「大津署の矢代です、こっちは川本、よろしく」と挨拶した。「滋賀県警大津警察署刑事課巡査部長」の肩書があった。

浅見も名刺を渡した。例によって「ご職業は？」と訊かれた。「フリーのルポライターです」と答えると、やはり例によって、胡散臭い目で見られる。

「何があったのですか？」

浅見は史絵に向かって訊いた。

「人が殺されたんです」

史絵は脅えた表情で、蚊の鳴くような声を出した。

「ほう、殺人事件ですか」

浅見は驚いた。

「しかし、あなたがなぜここに？」

「殺された人のことを、私は知っているんです」

「えっ、そうなのですか、誰ですか？」

「加賀さんていう人だそうです。名前なんかはいま刑事さんに聞くまで知らなかったんですけど、一昨日の夜、私の部屋の下の部屋に泊まった人なんです」

「え？ たったそれだけのことでこんなに長々と調べられているのですか？」

浅見は思わず、非難の目を二人の刑事に向けた。

「いや、あんた……えーと、浅見さんでしたか、そういう言い方をしてもらっては困りますねえ」

矢代部長刑事が面白くなさそうに言った。

「われわれ警察としては、真剣になって初動捜査に当たっておるわけでして、みなさんにもご協力いただかなければならないのです。何か、お約束があったということですが、ひとつ、そういうわけですからね、あなたにもご協力をお願いしたい」

「しかし、たまたま上の部屋に泊まったからって、そんなに調べることはないんじゃありませんか？」

「泊まっただけじゃないんです」

史絵は浅見を宥めるように言った。

「そのひと——加賀さんは、私に花束をくださったんです」

「花束を？　……どういうことですか？」

史絵は刑事の視線を気にしながら、一昨夜から昨日の朝にかけての、老人との出来事を話した。要するに、階下で歌う歌が煩いと、フロント係に文句をつけたら、翌朝、その宿泊客である老人が、花を持って謝りに来た——という話だ。

「その加賀さんが、堅田の浮御堂で殺されていたんですって。それで、何か心当たりがないかって おっしゃって、刑事さん、調べに来たんです」

「ふーん……」

浅見は猛烈な好奇心に襲われたが、わずかに唸り声を発しただけで、ごくさりげないふうを装った。

「それはまた、災難でしたねえ……いや、その加賀さんというご老人もですが、森さんも、とんだとばっちりです」

「ええ、でも、なんだかああいうことがあったもんで、ぜんぜん他人ごとのような気がしなくて……」

「だからといって、森さんは何も知らないのでしょう？」

「あんたねえ」と、脇から矢代部長刑事が口を挟んだ。

「まだ調べが終わっていないのだから、余計なことは言わないでもらいたいですなあ」

「あ、すみません、もちろん必要ならばどうぞおつづけください。僕はここで待っていますから」

浅見はおとなしく部屋の隅に引き下がりかけて、ふと思いついたように訊いた。

「そうそう、その加賀さんですが、どんなふうに殺されたんですか？」

「浮御堂の欄干にロープを結んで、首を吊って死んでいたのですよ。最初は自殺かと思ったのだが、索条痕が二本ありましてね、それで他殺の可能性ありと判断したわけです」

「それじゃ、犯人の目処なんかはまったくついていないわけですね？」

「もちろんです。まだ捜査が始まったばかりなのだから」

「それにしても、どうして森さんとのことを突き止めたのですか？」

「そのくらいのことはすぐ分かりますよ」

矢代は尊大ぶって言った。

「被害者は、昨日の日付の、当ホテルの領収証を所持していたのです。それでホテルに訊いたところ、昨夜、上の部屋の森さんとトラブルめいたものがあったことが分かった――というわけです」

「なるほど……さすがですねえ。だとすると、加賀さんは昨日、すでにチェックアウトしていたということですね」

「そういうことですな」

「ところで、加賀さんはどこから来た人なのですか？」

「東京ですって。東京の三鷹（みたか）」

刑事が答えを渋（しぶ）っているので、史絵が早口で言った。

「そう、東京ですか……」

浅見も史絵も東京から来た客である。ただそれだけのことだが、そこはかとない同郷意識のようなものを感じる。

浅見が来たせいでもないのだろうけれど、刑事はじきに史絵に対する訊問を打ち切ってしまった。史絵と加賀老人とのあいだには、たまたまホテルの上下の部屋に泊まりあわせた客――という以上の何の関係もないことを納得したらしい。

ずいぶん手間を食ったが、それから浅見と史絵は近江八景めぐりのドライブに出発することになった。

チェックアウトをすませた史絵は、バラの花束を抱えていた。まだ瑞々しく、つぼみもいくつかある。そのまま部屋に置いてくる気にはならなかったのだろう。

「あのおじいさんが殺されるなんて……」

車が走りだしても、史絵の気持ちはそのことから離れそうになかった。

「人間のいのちなんて、ほんとにはかないものなんですね。このバラより早く死んでしまうなんて」

「花束をプレゼントして、謝ったなんて、なかなかの紳士だったのでしょうねえ」

「ええ、感じのいい老紳士でした。歌はおかしな歌を歌いましたけど」

「ほう、どんな歌でした?」

「あれですよ、ほら、昨日の船の中で流れていたでしょう、琵琶湖で遭難したボート部の学生の歌」

「ああ、あの歌……たしか、金沢の旧制第四高等学校の学生たちが遭難したとか言っていた……妙な歌を歌ったものですね」

「ええ、あの歌を、毎年、お盆のときになると、琵琶湖を訪れて、お経代わりに歌うのだそうです」

「お経代わり? というと、その遭難した学生たちのゆかりの人なのかな?」

「ええ、私もそうじゃないかって思いましたけど」

「ふーん、その人がなぜそういう殺され方をしなきゃならなかったのかなあ？」

浅見のアクセルを踏む力が、無意識に弱くなった。前の車との間隔がみるみるうちに広がって、後ろの車からクラクションを鳴らされた。

浅見は慌ててアクセルを踏み直した。最初の目的地である石山寺は、もうすぐそこに迫っていた。

4

不信心であるにもかかわらず、仕事の関係で全国を歩き回り、いろいろな神社仏閣を訪ねる機会が多い浅見だが、石山寺の美しさには、目を洗われる想いがした。

東大門を入ると、一直線の参道である。左右の塔頭は古い庵のようにひそやかなたたずまいを見せる。低い塀の内側から、カエデかモミジか知らないけれど、とにかくその類の老樹が枝を張り葉を茂らせ、頭上を被い隠して、昼なお暗いトンネルのような道だ。

かなりの観光客が歩いて行くのに、小砂利の道を踏む足音も、声高に話すざわめきも、樹林に吸い込まれるように、静寂の気が漂っている。

「きれいですねえ」

史絵は樹木のトンネルを見上げ、葉を透かして見える緑色の空に感動しながら、さかんにカメラのシャッターを切っている。ときにはいきなり浅見にレンズを向けることもあった。浅見もお返しに史絵を写した。

「こうやって一緒に歩いていると、恋人同士か、ことによると新婚旅行に見られちゃうかもしれませんね」

史絵は無邪気に言って、気の弱い浅見をドギマギさせた。

参道の脇に鯉のいる小さな池がある。沢山の鯉が群れているのだが、一日中、太陽の光が射し込まないせいか、さすがに元気がない。中には背骨が曲がったのもいたりして、少し気の毒だった。

「琵琶湖の水は汚れがひどくて、このあいだも二百万匹の魚が死んだのだそうですよ。広岡さんのご主人というのは、琵琶湖の水を守る会のリーダーだったのです」

鯉を見ながら、浅見は言った。

「そうなんですか……元はこんなにきれいな水なのにねえ」

史絵は池を覗き込みながら、しみじみと言った。

この池は、巨大な岩のくぼみに水が溜まってできた天然の池らしい。観光案内のパンフレットによると、岩は天然記念物の珪灰石で、なんと、この池のあたりから、はるか上のほうにある多宝塔までが一枚岩なのだそうである。

石山寺の本堂には「源氏の間」という部屋がある。紫式部が源氏物語を書くにあたって構想を練ったといわれる部屋だ。そこまでは石段を二ステップ登ればいいが、さらに全体を拝観しようと思うと、その三倍ほども行かなければならない。

浅見は時計を見て、「時間がないから、先へ進みましょうか」と言った。

「ええ」と史絵はもちろん逆らえない。

浅見は車に乗ると、大津の市街地を抜けて堅田へ向かった。べつに行く先を言ったわけでもないのに、気の急くのが伝わるのか、史絵はニヤッと浅見の横顔を見て言った。

「浅見さんはあれでしょう、堅田へ向かっているんでしょう」

「え？　あ、よく分かりますねえ」

「だって、刑事さんの話を聞いているときから、すっごく興味ありっていう感じしてましたもの」

「ははは、しかし、堅田の落雁はちゃんとした近江八景の一つですからね」

「でも、ほんとの目的は、加賀さんが殺されていた場所を見たいんでしょう？」

「参ったなァ、あなたは賢いひとだ」

「賢くなくっても分かります。浅見さんて正直に顔に出すタイプだから」

「いよいよ参った。僕は単純ですからね、みんな見透かされちゃうんです」

「単純かしら？　そうは思えませんけど。とくに女性に対しては、すっごく用心深いひとじゃないかって、そんな気がします」

「うーん、それも当たっていますねえ。困ったなあ」

「まだ独身なんでしょう？」

「またまた大当たり、じつになんとも、情け無い話ですけどね」

「やっぱり、そうだと思いました」

「あなたはどうなんですか？　ご結婚だとか、ご婚約だとか、恋人とか……」

「いまのところ、何もなしです、じつになんとも情け無い話です」

「ははは……」

二人は大いに笑った。しかし、結婚や恋人という話題が出たために、少し気詰まりなムードでもあった。浅見は照れ隠しにラジオのスイッチを入れた。ちょうど正午の時報が鳴るところだった。

「もうお昼か……どこかで鰻でも食べましょうか」

「ええ、でも、まだ食欲はありませんけど」

「そうですね、もう少しあとにしますか」

ラジオは政局関係のニュースを二つと、国内のニュースを二つ報じたあと、堅田の殺人事件を取り上げた。

けさ六時過ぎごろ、滋賀県大津市本堅田の、名所として名高い浮御堂で、男の人が首を吊って死んでいるのを、御参りに来た近くの女の人が見つけ、警察に届けました。

大津警察署で調べたところ、浮御堂の回り廊下の欄干にロープを結び、湖側に飛び下りた恰好で死んでいたもので、所持品から、この人は東京三鷹市に住む無職、加賀義雄さん六十四歳で、加賀さんは二日前に琵琶湖に来て一泊、昨日の朝、ホテルを出発していることが分かりました。

死亡推定時刻は昨夜の九時から十時ごろと見られ、死体の状況から自殺の可能性が強いと見られますが、なお、他殺の疑いもあるとして、警察は捜査を進めております。

また、この事件とはべつに、けさ早く、同じ琵琶湖の対岸にある長浜市の湖岸でも、変死者が発見されております。

けさ七時前ごろ、長浜市の湖岸にモーターボートが漂着しており、ボートの中で若い男の人が死んでいるのを、付近の国民宿舎に宿泊していた団体客が見つけ、警察に届けたものです。

長浜署で調べたところ、この男の人は三十歳前後ですが、まだ身元は分かっておりません。死因は服毒死、死亡時刻は昨夜の九時から十時ごろのあいだとみられ、長浜警察署では他殺・自殺の両面で捜査を始めました。

……少々お待ちください、ただいま入りました情報によりますと、この男の人は大津市下阪本(しもさかもと)に住む会社員、吉本浩(よしもとひろし)さん二十八歳だということです。

加賀の「死」について、刑事はほぼ殺人事件と断定しているような口振りだったが、ニュースを聞いたかぎりでは、マスコミ発表の段階では、他殺・自殺どちらとも決めかねていたらしい。

ニュースは次の話題に移っていった。

「妙な事件ですね」

浅見はジワジワと押し寄せてくる興奮を抑えながら、短く言った。

「ほんとですね、あっちでもこっちでも……気味が悪いわ」

「それに、いま聞いたでしょう、死亡推定時刻のことを」

「あら、どうだったかしら、うっかり聞き逃しちゃいましたけど」

「両方とも、昨夜の九時から十時ごろだそうですよ」

「えっ、ほんとなんですか？」

「そう言ってましたよ、確かに」

「でも、それって、何か意味があることなのかしら？」

「さあ、分かりませんが……少なくとも、その事件には僕やあなたは関係なさそうだということは、はっきり断言できますね」

「えっ？　やだ、そんな……でも、どうして断言できるんですか？」

「ちょうどそのころ、あなたはあの酔っぱらい紳士にからまれていましたからね」

「あ、そうですよね、あれ、九時半ごろでしたよね」

「そう、その前からずっと、あなたはあそこに一人ぼっちでいました。それは僕が証明できますよ」

「あら、じゃあ浅見さん、ずっと見ていらっしゃったんですか？　やだァ」

「え、あ、いや、しかし、あなたの背中は僕の正面に見えていましたからね」

浅見は慌てて弁解した。

「でも、それじゃあ、私のアリバイはちゃんとしているわけですよね、よかった」

「それを証明する僕のアリバイも、です」

車は雄琴の街にさしかかった。ケバケバしい看板を掲げた店やホテルが立ち並ぶ。美しい琵琶湖のほとりに、どうしてこんな俗悪な街が生まれたのか、そのとき為政者は何をしていたのか——悲しくなる。

少し行った湖畔には十何階建なのか、巨大なコンクリートの廃屋が天にそそり立っていた。上島総業が建設なかばで放棄した、ウェストレイクパークランドのビルだ。灰色に朽ちた骸骨を思わせる残骸が、もう何年も放置されたままであるという。

琵琶湖は病んでいる。いや、琵琶湖だけでなく、日本中、いたるところが病んでいるのだ——と思う。

湖西線堅田駅の少し手前で右折し、浮御堂から少し離れた駐車場に車を置いた。

堅田付近には、まだ「集落」と呼ぶに相応しいような、素朴な気配が漂っている。

事件のせいだろうか、観光客はあまり多くなかった。事件発生から時間が経っているので、すでに浮御堂周辺には制服の警察官の姿はない。ただ、途中の民家に、聞き込みをする私服の刑事らしい男がウロついているのが見られた。

浮御堂は丈の低い垣根で囲まれた松林のむこうにある。小さな門の脇に拝観受付の小屋があって、老人が二人、詰めている。

拝観料を払いながら、浅見は「けさ、事件があったそうですね」と話しかけた。

老人は（またか）という顔になって、「ああ、そうです」と答えた。

「夜間はここにはどなたもいらっしゃらないのですか？」

「ここにはおりませんけど、そこの家に住んでいてます」

老人は隣の家を指差した。

「夜中に人が入ったりすれば、分かるのでしょうか？」

「そら、忍び込む気ィになられたら、分かりませんわな。げんに昨夜もそうやったですからな」

とんだ迷惑だ——と、老人は不愉快そうに顔をしかめた。

境内に入ってすぐの左手に観音堂が建っている。ここには平安初期の観音像があるが、浅見は軽く一礼しただけで、前を素通りして、浮御堂の橋を渡った。

橋の長さは三十メートルほど。正面に優美に反った屋根を載せて、湖に浮かぶがごとく堂が建っている。どれほどの建築技術があったのかは知らないけれど、昔の人の遊び心を感じさせる。現代なら、さしずめ大津プリンスホテルというところだろうか。

堂の回廊の欄干には、いたるところに、指紋を採取したと思われる、白い粉末状のものが付着していた。堂の真後ろの辺りは、とくに念入りに調べたにちがいない。

浅見は欄干のむこうを、おっかなびっくり覗いてみた。真下に少し濁った湖水がある。湖面から欄干までの高さは三メートル近くはありそうだ。たしかにロープを結び、飛び込めば、いとも簡単に死ねそうではある。

もともと高所恐怖症の浅見は、その情景を想像して、慌てて欄干から離れた。

「あのおじいさん、夜中に一人で、こんなところに来て、殺されちゃったんですね」

史絵もそのときのことを空想して、恐ろしげに肩をすくめた。

「一人で来たのか、それとも殺人者と一緒だったかどうかは、分かりませんけどね」

「あ、そうですよね、犯人も一緒ですよね。だけど、こんな寂しいところに、何をしに来たのかしら？」

史絵と浅見はあらためて周囲を見回した。夜中は番人はいなくなるというけれど、無理やり拉致されたのだとすると、途中で誰かに見られない保証はなさそうだ。

「ほんとに殺されたのかしら？　自殺だったのじゃないかしら？」

史絵は首をひねった。

「刑事が、加賀さんの首には索条痕が二本あったと言っていたでしょう。それはつまり、いったん首を絞めておいて、ロープで吊るしたと考えることができるという意味なのですよ」

「ああ、そう言ってましたね。だったら、やっぱり殺人事件ていうことですか」

「まあそうでしょう。しかし、それにしても、何のためにわざわざこんな場所を選んで、そんな厄介な殺し方をしたのか、おかしな話ですけどねえ」

それがこの事件の最大の謎になるのだろうな——と、浅見は思った。

第四章　密室の謎

1

浮御堂からは琵琶湖大橋がよく見える。虹の架け橋のようなみごとなアーチ橋である。

「あの橋を渡ると守山市ですね」

浅見はしばらく眺めてから、ふと思いついたように言った。

「あとで、あの橋を渡って、広岡さんのお宅へ行ってみませんか」

「ええ、いいですけど……」

史絵は眩しそうに浅見を見て、頷いた。

「あとでなんて言わないで、これから行きましょう」

「えっ、だって近江八景を踏破するのでしょう？」

「いいんです。どうせ全部は回れそうにないし、それに、浅見さんはなるべく早く、広岡夫人のところに行きたいんでしょう？」

「いや、そんなことは……」

否定しかけて、浅見は史絵のいたずらっぽい表情に気づいた。

「あ、悪いひとだなあ、変な邪推はしないでください」

「邪推だといいんですけど……」

史絵は少し寂しそうな笑顔になっている。

「じゃあ、行きますか」

浅見は慌てて歩きだした。母親にはいつも「子供っぽい」と言われる浅見だが、十歳以上も離れた女性の心理の動きには、とてもついて行けない気がする。

琵琶湖大橋は欄干が高くて、期待したほど景色を楽しむことはできなかった。もっとも、ドライバーが景色を眺めていては、あぶなくてしようがない。

橋のおかげで、堅田から守山市まではあっという間の距離であった。広岡家もすぐに分かった。道を訊くと、「ああ、あのお宅ね」と合点したように教えてくれるのは、たぶん事件の噂のせいなのだろう。

不意の訪問だったけれど、広岡夫人は家にいた。「きっと見えると思っていました」と笑っている。

「浅見さんて、よほど事件がお好きのように見えましたもの」

「そうなんです」

史絵もいくぶん心外そうに言い添えた。

「石山寺でも、浮御堂でも、事件のことばっかり気にしているみたいなんです。だから近江八景はやめにしたんです」

浅見も「あはは」と笑うだけで、あえて否定はしなかった。

「早速ですが、ご主人が亡くなられたとき、このお宅が密室状態だったという、それを見せていただきたいのですが」

浅見は真顔に戻って、言った。順子もさすがに顔を引き締めた。

玄関を上がり、最初のドアを開けると線香の香りが強くなった。リビングルームの戸棚の上に、広岡友雄の遺影が飾られ、その前に線香が立ててあった。

「お仏壇じゃかわいそうだから、ここに置いてあるのです」

順子はさりげなく笑っているけれど、彼女には夫の死という厳粛な現実があることを、浅見はあらためて感じた。

「お焼香、させてください」

浅見は言って、史絵と一緒に広岡の写真に祈った。

広岡が倒れていた場所を見て、そのときの情景を説明してもらってから、「密室」だったという家のあちこちのドアと窓を見せてもらった。二階の広岡が書斎にしていた部屋の窓と、トイレの格子(こうし)の嵌(は)まった窓以外、すべての窓には鍵がかかっていたそうだ。

二階の書斎の窓の下は地上まで壁で、そこから忍び込むことは不可能に近い。かりに忍び込んだとしても、その辺りは家の北側にあたり、草もろくに生えないような土地である。地上に足跡が残っていないはずはないだろう。

ダイニングキッチンに戻って、テーブルを囲む椅子に腰を下ろした。広岡がいつも座っていた椅子には順子が座ったが、事件の夜、足元の床に広岡が倒れていたのだ――と想像すると、臆病な浅見は少しゾクゾクするものを感じた。

「なるほどねえ……」と浅見は溜め息をついた。

「いま見せていただいた印象から言うと、これは確かに密室ですね。もしご主人が殺されたものだとすると、横沢刑事が奥さんを疑うのも当然かもしれません」

「浅見さん、なんてひどいことを……」

史絵が脇から浅見の腕をつついた。

「いいのですよ」

広岡未亡人は口を抑えて笑った。

「浅見さんのおっしゃるとおりですもの。だけど私は犯人ではないでしょう、それで困っていらっしゃるの」

しかし、浅見は笑うどころではない。

「もう一度お訊きしますけど、ご主人は絶対に自殺ではないのですね？」

「ええ、違います、絶対に」

順子は浅見の探るような目を真っ直ぐに見返して、はっきりと断言した。五、六秒ばかりだが、にらめっこのようなことになった。史絵は二人の睨みあいを、固唾（かたず）を飲んで見つめていた。

「ただ、一つだけ気になることはあるのですけど……」

にらめっこから視線をはずして、順子は呟くように言った。

「主人が亡くなってしばらくして、彼の書斎を片付けたのですけれど、そのときに、ずいぶんきちんと整理しているなって思ったのです。ふだんから几帳面なひとで、あまり散らかしっぱなしということはなかったのですが、それにしても、きちんとしすぎていて、まるで……」

順子は言葉を中断した。

「まるで死ぬことを予測されていたような感じ――とおっしゃりたいのではありませんか？」

「ええ、そうなんです。でも、どうしてお分かり？」

順子は驚いて、もう一度、浅見を睨んだ。

「はっきりした理由なんかないのですが、奥さんからご主人のお話を聞いていると、なんとなく、ほら、よく、従容として死地に赴く――と言いますね、そういう雰囲気を感じるものですから」

「ええ、そのとおりです、私もそう感じたのですよ。でも、自殺ではない……死ぬことを予感はしていたかもしれないけど、自殺ではないって、それも信じているのです」

「では、そういう設定でご主人を殺した犯人を想像してみましょうか」

「ええ」

「まず、第一の条件は、犯人はご主人の知り合いで、しかも、夜中に訪ねて来て、ダイニングキッチンに招き入れられるほど親しい知人であるということ」

「あ、それは少し違うかもしれません」

順子は異議を唱えた。

「うちはこんなボロ家ですから、主人しかいないときなどは、大抵、ダイニングキッチンのほうにお客さんをお入れしていました。お茶を出すのにも便利ですしね」

「しかし、相川に聞いたところによると、コーヒーカップは一つしか出ていなかったのだそうですが」

「ええ、警察の調べではそうでした。でも、カップは洗って元の場所にしまってしまうことだってできたでしょうし」

「それは調べなかったのですか？」

「べつに調べませんでした。そのときは私もそんなことに気がつきませんでしたし、それに、たとえ調べたとしても、分かりませんでしょう？」

「そんなことはない」

浅見は思わず力を込めて言った。

「驚きましたねえ、そんなことも見逃してしまったとは……警察も、それにあなたも、重大なミスを犯したことになるのかもしれませんよ」

「ほんとですか？」

順子は顔色を変えた。

「その後、同じコーヒーカップは使いましたか？」

「ええ、もちろん使いました。主人が最後に使った分は警察が持って行きましたけど、ほかのカップは……」

「だとすると、たとえ何かの痕跡が残っていたとしても、だめですね」

「じゃあ、浅見さんは、犯人も一緒にコーヒーを飲んだと思うのですか？」

「まず間違いなくそうでしょう。もし、あなたが主張するように、犯人が存在するのであれば、です」

「犯人……」

順子と史絵は顔見合わせて、息を飲んだ。

「その夜の情景を想像してみましょうか」

浅見はちょっと考えをまとめてから、言った。

「犯人はご主人と顔見知りの人物であることは、これまでの説明でも明らかでしょう。その夜、その人物はお宅を訪ねる約束になっていた。そして、ご主人はあらかじめ奥さんを外出させておいた。つまり、二人だけ――あるいは犯人は複数だったかもしれませんが、ともかく、玄関からちゃんとこの部屋に入って、ご主人の出してくれたコーヒーを飲んだりして、話をしていた……その時間はおよそ十五分から二十分程度だったでしょう。ご主人がコーヒーを入れ、カップ半分しか飲まない時間です。その冒頭のころに、犯人はご主人にカプセル入りの薬を勧めたはずです。その約十五分後、カプセルが溶けて毒物の効果が突然、ご主人を襲った……おそらく、あっというまの出来事だったでしょう」

浅見は言葉を止めた。

「どうぞ先を進めてください」

順子はかすかに眉を寄せた程度で、ほとんど表情を変えずに言った。彼女の中では、すでに悲しみは消化されているのだろうか。

「ご主人は助けを呼ぶひまもなく、倒れ、息を引き取られたのだと思います。犯人はご主人が常用しているカプセル入りの薬を持ち出して、中身を出し、テーブルの上にこぼしておいた。そしてコーヒーカップを洗い、片付け、そのほか、もろもろの痕跡を注意深く始末して撤退したのです」

順子と史絵は浅見が説明した情景を、反芻するように思い浮かべてから、ほぼ同時に、

「でも……」と言った。

それから顔を見合わせ、互いに譲りあい、結局、順子が「でも、どうやって撤退したのかしら？」と言った。

「そうですよ、だって、このお宅は密室だったのでしょう？」

史絵も口を尖らせた。

「どうやったのかは、これから考えるとして、とにかく犯人は、何らかの方法をこうじて撤退したのですよ。そうでないと、横沢刑事の言うとおり、奥さんが犯人になってしまうじゃないですか」

浅見は冗談めかして言ったが、二人の女性はニコリともしなかった。

そのとき、呼び鈴のブザーが鳴った。驚いたことに、たったいま噂したばかりの横沢の訪問であった。順子に案内されてダイニングキッチンに現れた横沢は、浅見と史絵を交互に見て、何ともいえない渋い顔をした。その横で順子はおかしそうに皮肉な笑みを浮かべている。

「妙なところで近江八景を見物しているのですなあ」

横沢としては、精一杯のジョークのつもりだろう。

「近江八景どころじゃなくなったのですよ」

浅見は真顔で応じた。

「カーラジオで、新しい事件の発生を知りましたからね」

「ほう、やっぱりそうでしたか」

横沢も頷いた。

「たぶん、そういうことだとは思った。なんたって、死んどったのが上島総業の人間ですからなあ」

「え？……」

横沢以外の三人がいっせいに声を発した。

「どういう意味ですか、それは？」

三人を代表して、浅見が訊いた。

「なんや、知らんかったのですかね」

横沢はむしろキョトンとした顔になった。

「上島総業の吉本という若い社員が、長浜で死んどったのだが、ニュースで聞いたいうのは、それと違うのでっか？」

「上島総業の？……」

順子が言い、浅見も史絵も驚きの吐息をついた。

「なんや、そしたらあんたら、ニュースで何を……ああ、堅田の浮御堂の事件のことを言うとるのでっか？　あれが何か、あんたらに関係でもあるのでっか？」

横沢は横沢で、不思議そうに三人の顔を眺め回した。

2

横沢の疑惑に構っていられないほど、三人は驚いてしまった。

「ニュースでは、死因は服毒死だとか言ってましたが、自殺ですか、他殺ですか？」

浅見は早口で訊いた。

「いや、それがどうも、まだはっきりせんようですな。しかし、これまでの調べでは、どうやら自殺する理由もないいう話だし、やっぱり他殺でしょう」

「所轄は長浜署ですか？」

「そうです。しかし、上島総業の社員やから、一応、こっちの事件とのからみも考えてみよう思うて……もっとも、そう思うとるのはわし一人かもしれんですがね」

「もしその事件が広岡さんの事件と関係があるとしたら、奥さんに対する横沢さんの疑惑は撤回してくれるのでしょうね？」

浅見に詰め寄られて、横沢は「うーん」と唸った。

「まあ、そういうことになるかどうか……それはこれからの展開しだい、いうことにしておきましょうや」

「ほんと、しつこいひとですねえ」

広岡夫人は溜め息をついた。

「ははは、まあ、そう嫌わんと頼んます」

横沢は愛嬌のないことを言っているが、しかし、浅見と出会ったころとは一変して、順子への疑惑が急速に薄れつつあることは確かなようだ。

「ニュースを聞いて気になったのですが」と浅見は言った。

「堅田の事件と長浜の事件とは、昨夜のほぼ同時刻に起きているらしいのですね。二つの事件の関連については、警察は何か考えがあるのでしょうか？」

「いや、そんな話は聞いとらんですな。たまたま同時刻やいうても、西と東では関係ないのと違いますかなあ。たしか、時間幅も午後九時から十時のあいだと、一時間もあるし、ピタリ一致しとるわけやないでしょう」

「いや、そうは言っても、たとえば、その吉本氏でしたか、その人が堅田の老人を殺してから、服毒死した——という図式は考えられますよ」

「はあ……」

横沢は呆れた顔で浅見を見た。

「けったいなことを考えますなあ」

「ええ、けったいでもいいですけど、一度、その吉本氏と堅田の被害者——加賀さんでしたか、その老人との関係か、あるいは、加賀さんと上島総業の関係がないかどうか、調べてみるべきだと思うのですが」

「ふーん……」

横沢はいよいよ不思議そうに首をひねった。

「さっきの感じからいうと、浅見さんは堅田の事件のほうには関心があったみたいですなあ。ひょっとしたら、加賀いう老人に、何ぞ心当たりでもありますのか？」

刑事特有のよく光る目で、刺すように浅見を見つめた。

思ったとおり、なみの刑事じゃないな——と浅見は感心した。

「じつはですね、その加賀さんというご老人は、大津プリンスホテルでこちらの森さんと会っているのですよ」

浅見は史絵の奇妙な体験を話した。

「ほう、あんたと知り合うとったのですか。しかし、それだからいうて、特別にどうということもないのとちがいますか？」

「それはまあ、そうですけどね」

浅見は苦笑した。たしかに横沢の言うとおり、加賀老人と史絵と、一瞬の触れ合いのようなことがあったにしても、事件とは何の関わりあいもない。

「それじゃ、どうなんですか、長浜で亡くなった吉本さんという人と、主人とは関係がなかったのでしょうか？」

順子が横沢に反発するように言った。

「上島総業の人であるなら、主人と何かトラブルがあったかもしれません」

「それはあるかもしれんですな」

横沢はあっさり肯定した。

「ことに、上島総業の社員の中では、吉本のような若手の人間が、いわゆる行動隊として第一線で働いておったいうのは事実ですからな。ことによると、ご主人をつけ狙っとったかもしれんです」

「もしかして、その人が主人を殺した犯人ということはないでしょうか？」

「そらまあ、資格があるという意味ではそのとおりだが、しかし、密室の謎をどう解決するのです？　何しろ、密室を主張しとるのは奥さんご自身やからなあ」

横沢は皮肉な言い方をした。

「密室の謎はまだ解けないんですか？」

史絵がもどかしそうに浅見に訊いた。

「ほう、浅見さん、あんた密室の謎を解いてくれますのか？」

「ええ、そのつもりです」

浅見は軽く言った。

「ただ、密室だけなら問題はないのですが、それと同時に、この家にどうやって入ったかのほうが問題なのですよ」

「ちょっと待ってくれませんか、密室は問題ないって、ほんまですかいな？」

「ええ、問題ありませんよ。しかし、中に入ることと、ワンセットにして考えると、どうしても分からない。とにかく、入るときには友好的な状態で招き入れられているとしか思えませんからね。その人物が広岡さんを殺すという状況が、どうしても分からないのですよ。それも、あらかじめ毒物を用意しているところなどから見て、訪問する以前から殺意があったわけですからねえ」

浅見は難しい顔で腕組みをした。

「そうですよねえ、それが不思議なんですよねえ」

史絵もまだ日焼けしていない細い腕を組んで、考え込んだ。

「ふーん……」

横沢はじっと、この生意気なルポライターと彼に共鳴している小娘を見据えてから、言った。

「かりにですな、訪問客が犯人だったと仮定して、そしたら、どうやってこの家から脱出できたのです？　あんたが、その密室の謎を解明した言うのやったら、証明してもらおうやおまへんか」

「そんなこと……」と史絵が口を尖らせた。

「それはまず、犯人がどうやってこのお宅に入ったかを、刑事さんのほうで解明するほうが先なんじゃありませんか？　そうでないと、浅見さんだって困るんでしょう？」

「ははは、大丈夫ですよ森さん」

浅見は史絵の応援に笑って応えた。

「さっきも言ったように、入るときと脱出するときをワンセットで考えるから、密室は難しいのですが、出るときのことだけを考えるのなら、べつに大した難問ではないのです。推理小説で密室を扱ったものを読むと、あとでなーんだ――というようなタネである場合が多いでしょう。密室なんて、手品のようなもので、しかも手品みたいに熟練を要しない仕掛けですからね、そんなに難しいわけがないのですよ」

「でも……」

史絵はそれでも不安そうに、横沢の顔をチラッと見た。

「それやったら、ぜひ教えてもらいたいもんですな」

横沢は熱心に言った。もはや、意地悪とか皮肉な目的とかでなく、この男は純粋に捜査員としての興味から訊いている。

「いいですよ」

浅見は言って立ち上がり、「ちょっとここで待っていてください」と部屋を出て、さらに玄関を出て行った。

浅見は数分で彼らのところへ現れた。

「これから二階に行きます。三分経ったら捜しに来てください」

言い置くと、玄関を入ったところにある板の間から二階へつづく階段を登って行った。

それからさらに数分後には、浅見はふたたびその階段を登っている。そのときには広岡未亡人と二人の客は二階に上がり、消え失せた浅見の姿を捜し回っていた。

「どうしました、何か捜し物ですか？」

階段の上がり口から浅見が声をかけると、目の前にいた史絵が卒倒しそうな悲鳴を上げた。

「信じられない！……」

階段を上がって来た浅見を、まるで幽霊でも見るような目で見つめた。

「ねえ、来て来て、来てください、浅見さんですよ」

大声を出さなくても、すでに順子と横沢は飛んで来た。

「どこから……」

順子は絶句した。横沢にいたっては、口を開けたまま、声も出ない。刑事としての自分の過去の栄光をすべて否定されたような顔であった。

「どうして？　どういう手品なんですか、これは？」

最初に口をきいたのは、若い史絵だった。

「ははは、手品なんかじゃありませんよ」

浅見は笑いながら言った。

「一本の長い竿と、ちょっとした運動神経さえあれば、誰にだって簡単にできる脱出方法です。ちょっと窓の外を覗いて見てくれませんか。ほら、あそこに竿がたてかけてあるのが見えるでしょう」

浅見ははるかかなたの人家の塀にたてかけた竿を指差した。

「あれがそう、手品のタネといえば言えるのかなあ。あの竿をあらかじめこの窓のところに用意しておいて、隣との境の塀に飛び移ったのですよ。僕はあまりスポーツは得意じゃないけれど、割りと簡単にできました。ああ、竿を突いた跡ですか、それはほら、あの塀の柱のそばに突き立ててましたけど、竿を抜いたあと、そこに土と草を埋め戻しておきましたからね、ほとんど分からないはずです。いや、警察の人たちも、たぶんこの建物の真下は注意深く調べたとしても、あんなところまでは気が回らなかったでしょう。そうじゃありませんか、横沢さん」

「うーん……」

横沢はただひたすら唸った。

「そういうわけで、密室の謎が解決してしまえば、問題は犯人の素性に絞られます。広岡さんは犯人を友好的に招き入れ、その上コーヒーまでサービスしていらっしゃる。最初から喧嘩したり、殺されるのを覚悟していた相手だとは、とても考えられませんよね」

「なるほど、なるほど……」

横沢は完全に脱帽したというように、しきりに首を振っている。

「素人さんにここまでやられては、警察の人間としては立場が……しかし浅見さん、あんたいったい何者ですか？　ただのネズミとは違うような気がするが」

むしろ疑わしげに浅見を見た。

「ははは、ただのネズミでしかありませんよ、僕は」

浅見は笑ったが、横沢ばかりでなく、二人の女性も尊敬と疑惑を混ぜたような、複雑な視線を浅見に向けている。

「困ったなあ、そんな犯人でも見るような目で見ないでくれませんか。第一、あんな子供だましみたいな密室なんて、誰にでも考えつきそうなものじゃないですか」

「でも、私たちには分からなかったことも確かですわ」

順子は不満そうな口調で言った。

「それに、残念ながら、警察にもですな」

横沢も、順子に輪をかけたような、憤懣やるかたない――という顔である。

「ですから、それは訪問と脱出を一緒くたに推理しようとしたからですよ。別々の方法論として考えれば、ばかばかしいほど簡単なことなんですから」

「その別々にというのがねえ……」

横沢は情けなさそうに言った。

「盲点いうやつですかなあ、どうも、われわれ刑事は、一つの事件を全体像として捉えてしまう癖があるのかもしれんですな」

「どういうことなんですか？」

史絵が無邪気に訊いた。

「まあ、あまりうまいことは言えんのやけど、広岡さんの事件の場合で言えば、はじめ、友好的に訪問した客がですよ、じつは、最初から殺意をもっていたとか、しかも、逃げる際の竿まで用意しとったとか……そういうけったいな状況は、まったく想像することもでけんのですよ」

「そんなの、刑事さんでなくったって、ふつうの人なら誰だってそうですよ」

史絵は慰めるように言って、浅見を横目で見た。

「むしろ、それこそ、浅見さんのほうがけったいな人なんです」

「あははは、そうやねえ、浅見さんのほうがけったいなんやねえ」

横沢は嬉しそうに笑った。

3

「浅見さんに、折入ってお願いしたいことがあるのですがね」

横沢はかたちをあらためて言い出した。

「はあ、何でしょうか？」

「どないでしょうかなあ、今回の事件に対して、浅見さんが考えてはることを、ひとつ、自分に教えていただくわけにはいかんもんでしょうかなあ」

「教えるなんて、そんな……」

「いいや、ぜひとも教えていただきたい。もちろん、この密室の謎については、すでに教えていただきましたがね、どうも、先ほどから話を聞いておると、まだまだいろいろ考えてはることがあるのではないかと思いよるのですよ。そういうものがあればです、警察の捜査のために、ぜひとも教えていただきたいのです」

「ははは、困ったなあ……しかし、警察のためになんて大袈裟でなく、横沢さんのためにだったら、いくらでも協力しますよ。現実問題として、横沢さん、孤立して捜査をなさるのは大変でしょう。冗談でなく、何かめぼしい成果を上げないと、立場が苦しくなるんじゃありませんか？」

「は？……」

横沢はギョッとした。

「どうして？……浅見さん、あんた、わしのそういう状況を、どうして知ってはるのです？」

「えっ？　だって、それくらいは分かりますよ。刑事さんが一人で聞き込みに歩くことなんて、ふつうじゃありえませんからね。それも、僕が知っているだけでも二日にわたってでしょう。あ、これは横沢さん、独走しているな——と思いますよ。警察組織内で独走するというのは、相当な冒険なのでしょう？　たとえばクビを覚悟しているとか」

「うーん……」

横沢は憮然として天を仰いだ。

「そうなんですか……」

順子が少し身を反らせるようにして、気の毒そうに言った。

「そんな冒険までして、私を追い掛けることはないでしょうに……」

「いやあ、そないに容疑者に同情されるようじゃ、刑事もおしまいでんなあ……」

横沢は上を向いたままで笑ったが、それはなんとなく、泣きベソをかいているようにも見えないことはなかった。

「しかしねえ奥さん、いま考えてみると、わしは何もあんたが憎うて追い掛け回しとったんやない、思います。警察の仲間が誰もかれも、いつのまにやら、これは自殺や——と片付けてしまおうとするのんが残念でならんかったのですな。わしの勘では、広岡さんは殺されたんやと思う。広岡さんの悔しそうなあの顔を見たら、絶対に間違いない、思いました。それやったら、犯人は奥さんしかいてへん。何しろ密室ですからな。それで、いささか自分でもいやになるくらい、しつこう追い掛け回したのです。おかげで、課長からはアホよばわりされるし、仲間とは喧嘩するし、ほんま、浅見さんの言うとおり、このまま何も土産がなかったら、たぶんクビですわ。おまけに、奥さんを追えば追うほど、何やら違うなあという気がしてくる。こんなこっちゃあかん、あの女が憎むべき犯人なんや、と自分に言い聞かせて……しかし、今日、浅見さんから密室工作の話を聞いてみると、なんやアホらしゅうなってきました。と同時に、やっぱしわしの判断は正しかった、それは他殺事件やったのだ——いう信念は、いっそう確かなものになったのです。その点は奥さんも同じ気持ちやそうやし、まあ、これまでのご無礼は水に流してもろうて、ひとつよろしゅう頼みますわ」

横沢はふかぶかと頭を下げた。

順子はチラッと浅見に視線を走らせた。その瞳がわずかに潤んでいるのを、浅見は厳粛な気持ちで見た。

これで浅見が相川勇志に依頼されたことのほとんどが解決したことになる。相川は広岡未亡人にかけられた、いわれのない容疑を晴らしてくれと頼んでいたのだ。その当面の「敵」であった横沢部長刑事から、こんどは智恵を貸してくれと依頼された。世の中、一寸先のことは分からないものである。

「浅見さん、私からもお願いします」

順子も頭を下げた。史絵も信頼しきった目で浅見を見つめている。

浅見は幸福であった。いちどきに三人もの人からこんなふうに頭を下げられ、ものを頼まれるなどということは、これまでの経験になかった。しかも、その内の二人は美しい女性ときている。

「やりましょう！」

浅見は威勢よく宣言した。

「えっ、ほんまにやってくれますか」

横沢は感動的な声を出した。

「ええ、こうなったら、広岡さんを殺したやつはもちろん、加賀老人を殺したやつも必ず突き止めて見せます。そうだ、それから長浜の事件も、ついでに面倒を見ることにしますよ」

　こんなに派手な公約をして、ちょっと軽率すぎるかな——と、多少後ろめたいものを感じながら、浅見はしかし、意気軒昂たるものがあった。

　この颯爽とした姿を、恐怖の母親・雪江未亡人や口うるさい小ジュウト然とした須美子嬢が見たら何と言うだろう——。少しは浅見家の次男坊に対する認識を変えるにちがいない。

　天下の警察庁刑事局長である賢兄陽一郎の陰で、いつも霞んでばかりいるわけではない、やるときはやる。警察組織を向こうに回して、一歩もひけを取らない……。

　そこまで考えて、浅見はギョッとなった。向こうに回すのはいいけれど、警察組織をずっと頂点近くまで辿ると、いやでも賢兄陽一郎にぶち当たる。おまけに、浅見家にあっては、そのもう一つ上に雪江未亡人が鎮座ましましているのだ。

（兄と母親を向こうに回してどうしようというのだ？——）

　たちまち、浅見は危惧の念に襲われた。

　いいのかなあ——と尻込みしたい気分になってきた。

「やっぱり浅見さんて、見掛けによらず男らしいひとなんですね」

　史絵が頼もしそうに言った。見掛けによらずは余分だが、妹のような史絵のこのひと言がとどめになった。

4

その日の夕食は彦根で近江牛のすきやきを食べる会になった。勤めを終えた相川が、彦根随一の「千成亭(せんなりてい)」という店に案内してくれた。

広岡未亡人と森史絵と浅見、それに横沢も誘ったのだが、部長刑事はさすがに、そこまで公私混同はできかねると辞退した。

「そうか、あの分からず屋の刑事が、泣いて頼んだか」

相川は満足そうに言って、浅見の労に大いに感謝した。

「まさか、泣きはしなかったけど、でも、あのひと、浅見さんの炯眼(けいがん)には心底、驚いたらしいわね」

順子はいまとなってみると、唯一の「他殺論者」仲間であった横沢に、なんとなく懐かしさを感じているような口振りであった。

「ここは全部おれのおごりや。遠慮せんと、どんどん食ってください」

相川は気前のいいことを言っている。

「いいですよ、私がもちます」

順子は言って、ふと深刻な顔になった。

「考えてみると、もし主人が殺されたのだとすると、すっごい額の保険金が入ることになるのね。やっぱり、あの横沢さんが言っていたみたいに、私には動機があるんだわ」

「やめてくれませんか、そんなこと言うのんは」

相川が、それこそ泣きそうな顔で言った。

「ほほほ、それは冗談ですけどね、でも、犯人はなぜ主人を殺したのかしら？　動機は何だったのかしらねえ？」

「それに、あの加賀さんだって、なぜ殺されなければならなかったのかしら……」

史絵は赤いバラをプレゼントされた老人のことを想って、遠い目をした。

浅見は黙々と、ひたすら肉を食べることに専念していた。相川が保証したとおり、ここの店は旨くて安い肉を食わせた。それに老舗にありがちな妙な気取りがないのがいい。料理を運んで来る、お仕着せのおねえさんたちも、野良着が似合いそうな素朴な娘たちばかりだった。

帰りに近江牛の味噌漬けを少し、母親への土産にしよう――と思っていたら、耳元で相川がでかい声で呼んだ。

「おい、何をボーッとしとるんや？」

「えっ、何か言ったか？」

「きみはいつまでいてくれるのか、奥さんが訊いてはるんや」

「ああ……すみません、ちょっと考えごとをしていたものですから」

「あら、いいんですよ、浅見さんは事件のことを推理していらっしゃったのでしょう？　邪魔をしてごめんなさい」

「はあ……」

いまさら、肉のこととお給仕の娘のことで頭が一杯だった――などとは言えない。

「僕は三、四日は滞在するつもりです。もっとも、相川君が泊めてくれれば――の話ですがね」

「もちろん泊まってもらうのはいっこうに構わんのやけど、きみの仕事のほうはええのんか？　なんや申し訳ないなあ」

「仕事はもともと、あって無いようなものだからね。なに、いよいよとなったら、この事件をルポにまとめて、例の軽井沢の作家に売りつけるまでだよ」

「そうか、そう言ってもらうとありがたいなあ」

「ほんとに浅見さんには感謝しますわ」

順子もあらためて礼を言った。

「私も、あっちこっち連れて行っていただいて、こんなにご馳走になって……ほんとに楽しい旅行ができて、もう帰りたくない気分です」

史絵もピョコンとお辞儀をした。

「あははは、こんなにみなさんに感謝されるなんて、生まれてはじめてですよ。僕のほうこそお礼を言わなくちゃ」

まったく、浅見にとって最良の夕餉(ゆうげ)であった。

食事を終えると、順子は相川を送りながら守山へ帰り、浅見は新幹線で帰る史絵を、米原駅まで送った。

「妙なご縁でしたねえ」

浅見は老人が言いそうな台詞(せりふ)を吐いた。若い女性と二人きりになると、浅見はとたんに話題に困ってしまう。気のきいたジョークだとか、女性が喜びそうなしゃれた話のネタなど、まるで用意していない。

史絵のほうもどういう話をすればいいのか、浅見が話しかけるのを待っている気配であった。

「ほんと、不思議な巡り合いですよね」

こっちのほうがまだしも、「ご縁」よりはいくらかロマンチックな表現ではある。

「巡り合いですか……そういえば、彦根に着いてから、琵琶湖大橋を渡って彦根まで、ひと巡りしたことになるなあ」

「私も……あ、その前にあの船でひと巡りしました。そういえば、私たちって、ほんとうに巡り合いなんですねえ」

「あははは、うまいことを言いますね。ほんとだなあ、文字どおり、巡り合いだったわけですね」

「あの変な、酔っぱらいのおじさんがいなければ、浅見さんともこんなふうにお知り合いになれなかったんですね」

「なるほど、そうしてみると、あの紳士もまんざら悪人じゃないっていうことになりますかね」

「でも、いまだからこんな呑気なことを言ってますけど、あのときはほんと、怖かったんですから」

「ははは、それはそうです。あいつはやっぱり悪いやつですか。それにしても、やつが酔っぱらっている、まさにそのときに、上島総業の若い者が死んだんですねえ」

浅見はふいに愕然とするものを感じた。

「うーん……なんだかいやな気がしてきましたね。上島総業の土木部長が酔っぱらって騒いでいるときに、彼の部下が死んだわけですか……」

「ほんとだわ、あの酔っぱらい、自分の会社の人が死んでいるなんて、ちっとも知らずにあんなことしていて、あとでどんな顔をしたか、見てみたかったわ」

「だけど、やっこさんも僕たちと同じように、あの騒ぎがあったおかげでアリバイが成立しているわけですよ」

「あら、ほんと、そうですね。じゃあ、いいときに船に乗っていたっていうことになりますね」

「そう、それに、いいときに騒ぎを起こしたとも言えるなあ」

言いながら、浅見はそのことが何か重要な意味を持っているような気がしていた。

「あなたの言ったこと、とても気になってきましたよ」

浅見は思ったままを口にした。

「えっ、私の言ったことって、あの、巡り合いのことですか？　嬉しい、そんなふうに思ってくださるなんて……」

史絵は助手席で肩をすくめ、「うふふ……」としのび笑いを洩（も）らした。

「えっ、ああ、そう……」

浅見は史絵の勘違いにうろたえたが、あえて否定するのはやめにした。

米原までの距離は、あっけないほど短く感じられた。旅先での夜の別れは、ひとしお心寂しいものがある。

「またいつか会えますよね」

駅前で車を下りて、史絵は名残り惜しそうに浅見の手を握って言った。

「もちろんです。事件が片付いたら報告に行きますよ」

「ほんとですね？　待ってます。気をつけて頑張ってください」

「あなたも、加賀老人のことで、何か気がついたことがあったら、教えてください」

「ええ、きっとそうします。じゃあ、さよなら」

最後はなんだか涙ぐむような顔で、サッと振り向いて、走って行った。

史絵が駅の中に消えるまで見送って、浅見は車に戻った。

後ろの座席に、すっかり萎れてしまった赤いバラの花束が、恋の終わりを象徴するように落ちていた。

5

相川の呼ぶ声で目が覚めた。「おい、名探偵ドノ、電話だよ」と呼んでいる。「浅見」と呼び捨てにしないのは、浅見の昨日のめざましい働きぶりに対して、相川なりに敬意を表していることを示すものだ。

(水臭いなあ——)と思いながら、浅見は起き出して受話器を取った。

電話は横沢からであった。

「浅見さん、ちょっと面白い話をキャッチしました」と言っている。

「何ですか？」

「ほら浅見さんが言うてはったでしょう。殺される一週間ばかり前の雨の日に、広岡氏がどこで誰と会ったかを調べてみてほしいいう話。あれ、分かりましたんや」

「えっ、もう分かったのですか？」

「いや、正確に誰いうことまでは分からんけど、ある会合に出席したいうことまでは分かりました。なんと、広岡氏はその日、浜大津港で開かれた、『ボート遭難四高生を偲ぶ集い』いうのに顔を出してました」

「えっ、ほんとですか……」

浅見は驚いた。

「しかし、よく分かりましたねえ、こんなに早く」

「いや、なに、たまたまですがな。事件があった一週間前にどういうことがあったか、大津の地元で出しとる新聞を調べとったら、その記事が写真入りで出とったんです。その写真になんと、広岡氏の顔があったいうだけのことです」

「ああなるほど、それにしてもさすがです、敬服しました」

「ははは、名探偵にそう褒められると、ええ気分でんなあ」

横沢はすっかり気をよくしている。

「しかし、四高生のボートが遭難したのは、たしか四月のはじめごろでしたよね。それが何でま

「あぁ、それも疑問に思ったので、そこの新聞社の人に調べてもろたのです。そしたら、十一人の犠牲者の、最後の遺体が上がったのんが、六月のそのころやったとかいう話でした。事故のあった昭和十六年当時は日本が戦争をしとった時期でしょう。その年の暮近くには、太平洋戦争が勃発するわけで、ボートで亡くなったいうようなんは、あまり名誉なことでないし、慰霊祭も盛大にはでけんような状態やったそうです。そのずっと前に、湘南海岸の江の島で、えーと、逗子なんやらいう学校……」

「逗子開成ですか」

「そやそや、その学校のボートが遭難して、『真白き富士の嶺』いう歌に歌われたのんとは、えらい違いやったのだそうです。それでもって、来年はその五十回忌にあたるし、盛大な慰霊祭を行う準備を進めるいうことになったいう話でした」

「その集まりに広岡さんが参加したのは、どういうわけでしょうか？」

「さあなあ、そこまでは聞いてませんが、たぶん、あれと違いますか、やっぱし、その事故があったころの琵琶湖は、水もきれいやったろうし、古きよき時代の琵琶湖に戻ろうとか、そういう主張をしたのやないでしょうか」

そうかもしれない——と浅見も思った。そう思いながらも、ふに落ちないものが気持ちのどこかにあった。

（そういう集いがあったのなら、広岡夫人は知らないはずはない——）

そう思った。だのに順子はその日、広岡がどこへ行ったのか、少なくとも「四高生ボート遭難」などという話は、これっぽっちもしていないのだ。

電話を切ってから、浅見は相川にその話をしてみた。

「ふーん、四高生のボート遭難ねえ……」

朝食の支度をしながら、相川は首をかしげた。

「おれもそういう話は知らんかったなあ」

「新聞に出ていたそうだけど」

「ああ、しかしそれはあれやろ、大津だけの、いうたらタウン紙みたいなもんやろ。それやったら、おれや広岡夫人が知らなんでも不思議はないが……それにしたって、広岡さんは奥さんに話をせんかったのやろか？」

何となくいやなムードであった。一枚岩のような信頼関係で結ばれていたと思っていた広岡夫妻のあいだに、存外、意思の疎通していない部分があったのだろうか？

相川が仕事に出るのを送りながら、浅見は大津へ向かった。新聞社へ行って、横沢が発見した写真を自分の目で確かめたかった。うまくすると、元の写真が残っているかもしれない。

訪ねてみると、「湖南タイムス」という、たしかにタウン紙のような新聞社であった。会社は一階が雑貨屋の、四階建てのビルの二階にある。社長一人に社員が数人——といった感じらしい。デスクは五つあるけれど、望月という社長と、事務の女性が一人いるだけだった。

「みんな出払ってしもうて」

何も訊かないのに、望月社長は弁解するように言った。広告取りに汲々としているのか、むやみに腰の低いジャーナリストであった。たぶん新聞そのものも、選挙の際などに候補者や政治家の提灯持ちの記事を満載する、御用新聞なのだろう。

問題の日の新聞を見せてもらった。タブロイド判の一面、下半分近くをその記事で埋めていた。写真も大きい。見出しは飾りケイで囲った特号のゴシック文字で「四高生ボート遭難慰霊祭準備会発足」とある。たかがこれっぽっちのイベントに対して――と、中央の新聞の感覚でみると、想像もつかないような大胆な編集方針であった。

その記事関係で掲載されている写真は三葉、最大のものはその「会」のおそらく冒頭のシーンを写したものであった。

会場は仮設テントの中らしい。中央の壇上に、盛装した初老の紳士が立ち、右手を少し上げ、語りかけるポーズで演説をしている。左右に数人の紳士が居並ぶのは、発起人のメンバーか、あるいは来賓か。

その写真の下にある説明を読んで、浅見は「あっ」と叫びそうになった。

――発会の挨拶をする会長・上島俊三氏――

「あの……」と、浅見は望月社長に訊いた。

「この上島氏というのは、上島総業の社長さんではありませんか？」

「ああ、そうですよ、よう知っとられますなあ。もっとも、上島は有名人ですけどな」

「そうすると、この会は上島さんが中心でやっているのですか」

「そうです。あの社長はさすがに事業家ですなあ。何でも商売と結びつけてしまう」

望月は皮肉半分、尊敬半分のような口調で言っている。

その脇にある写真に、広岡友雄が写っているのを見て、浅見は複雑な想いであった。写真の広岡は手にグラスを持って、初老の紳士と歓談をしている様子である。それほど楽しそうな顔ではないにしても、なぜ広岡がこの会に出席しているのか、事情を知る者の目には、いかにも奇妙に映る。

「この新聞、一部いただけますか？」

「ええ、どうぞどうぞ、ただし一部百円をちょうだいしますが」

望月社長は抜け目なかった。

「ここに写っているのは、このあいだ自殺した、守山市の広岡さんという人ではありませんか？」

金を払いながら、浅見はさりげなく訊いてみた。

「ん？　ああ、そのとおりですが、あんた、よう知ってはりますなあ」

望月はいくぶん疑わしい目になって、浅見を上目遣いに見た。

「いや、たまたま最近、その新聞記事を見た記憶があったものですから」

浅見は急いで弁解して、

「たしか、広岡さんという人は、上島総業とは仲が悪いと聞いていたのですが、ここには出席しているのですねえ」

「ああ、そうですなあ、まあ、それはあれでしょう、長いものには巻かれろいうか、いろいろあるのとちがいますか」

「いろいろというと、どういう？」

「うーん……まあ、具体的なことは知りませんがね、やっぱし近江で仕事していこう思うたら、上島総業に楯突いとったんでは、なかなか大変やいうことでしょうなあ」

「というと、広岡氏は上島総業の反対派勢力から足抜きをしたと考えていいのでしょうか？」

「たぶん、そうとちがいますか？」

浅見はなんとも不愉快な気分であった。広岡は同志を裏切ったのだろうか？

まさか――とは思いたいが、この写真を見るかぎり、そう邪推されても仕方がない。いったい何が彼をそうさせたのか？

湖南タイムスを出て車に戻って、浅見は途方にくれた。

広岡が仲間を裏切っていたのだとすると、事件の様相はまったく異質なものになってしまう。広岡殺害の動機を持つ人物は、上島総業側にではなく、身内の側――「琵琶湖の水を守る会」の中に存在する可能性だって出てくるわけだ。

極端に言えば、あの相川だって――。

浅見は慌てて頭を振って、いま浮かんだ着想を払い捨てた。

しかし、公平に判断するなら、そういう仮説だって無視するわけにはいかない。

浅見はすっかり戦意を喪失した。このまま突き進めば、とんでもない結末へと暴走しかねない。

（ああ、いやだいやだ――）

浅見は一刻も早く琵琶湖から逃げ出したくなった。「うるはしの大和」と並んで、日本民族の心のふるさとの一つであった「近江の海・琵琶湖」は、もはや救い難いほど腐れきってしまっているのかもしれない――。そう思うと、悲しくて、やりきれない。

よほど、このまま一路、東京へ帰ってしまおうかと思ったが、その気持ちを抑えて、浅見は大津警察署に寄ってみた。その玄関先で矢代部長刑事とバッタリ顔が合った。

「あ、あんたプリンスホテルの……」

浅見が「矢代さん」と声をかけると、矢代は驚いて、浅見の顔に指を突き立てた。

「そうです、森史絵さんの友人の浅見です」

あらためて自己紹介をした。

「いかがですか、加賀さんの事件のほうは進展していますか？」

浅見は訊いた。

「いや、なかなか難しいですなあ。目下、被害者の足取りをたぐっておるんやが、あの現場付近では、まったく加賀さんを目撃したいう話は出とらんのです。これからまた聞き込みですわ」

矢代はポケットから写真を出して、いささか自棄ぎみに、ヒラヒラさせた。

矢代の手にある写真を見ていて、浅見はふいに天啓のようにひらめくものを感じた。

「ちょっとすみません、その写真、見せてくれませんか」

言いながら、ほとんどひったくるようにして、矢代の手から写真を取った。写真は何かのスナップから抜き焼きしたものらしい。無理に伸ばしたのか、ピントの甘い写真だ。

「家族に聞いたところ、だいぶん前の何かの記念写真だそうで、いまの顔とは違ごうているらしいのだが、これっきゃないいうもんでしてね。まあ、それでもデスマスクよりはましやろいうことで」

矢代が弁解するところをみると、写真と実物とのあいだには、かなりの相違があるのだろう。しかし、浅見は自分の直感の正しさを信じた。

「ちょっとこの写真を見てくれませんか」

浅見は湖南タイムスの写真を矢代の目の前に突きつけた。

「ここに写っている老人、加賀さんじゃありませんか？」

「ん？……」

矢代は浅見の気迫に圧倒されたように、新聞を覗き込んだ。

「この人ですか？……う－ん、似ていると言えば似てるかなあ……」

「間違いありませんよ、加賀さんですよ。加賀さんがこの会に出席していても、不思議はないでしょう」

「そらまあ、そのとおりですな。もともと、四高生のボート遭難で死んだ連中の弔い（とむら）に来とったのやそうやし……しかし、これはあんた、一週間も前の記事ですなあ。事件に直接、関係はないでしょう」

「そんなことはまだ分かりませんよ。とにかく、この写真が加賀さんご本人かどうか、確認してもらうのが先決です。そうだ、彼女に見てもらえばいいのか」

写真の確認なら、大津プリンスホテルのフロント係でいいはずだが、浅見が思い浮かべたのは、どういうわけか、昨夜別れたばかりの森史絵の面影であった。

第五章　推理の壁

1

加賀老人が「ボート遭難四高生を偲ぶ集い」に参加していたとしても、奇異に思うことなど、何ひとつない。

ただし、そこに広岡友雄が出席していたとなると、無関心ではいられなかった。

加賀老人と広岡には接点があったのだ。

「ちょっと失礼」

浅見は矢代部長刑事を置き去りにして、大津警察署の建物に飛び込むと、玄関脇にある赤電話に向かい、湖南タイムスの番号をプッシュした。

「さっきお邪魔した浅見といいます」

早口で言った。

「ボート遭難四高生を偲ぶ集いのことでちょっとお訊きしたいのですけど、あの日は雨だったのではありませんか？」

「はあ？……」

電話のむこうで、望月社長は戸惑ったような声を出した。

「すみません、突然おかしなことを質問して、びっくりされたと思いますが、あの写真を見ると、仮設テントの中で行事を行っているように見えたので、もしかするとと思ったものですから」

「ああ、そういえばそうやったですな。確かに、あの日は朝の内は小降りだったのやが、式の始まる少し前ごろから本格的な雨になってしもうて、本来なら湖畔で行う予定だったところを、テントの中に変更したのやと思いますよ」

「やっぱりそうでしたか……」

浅見は礼を言って電話を切った。

(あの日、広岡が傘をさしかけてやった相手は加賀老人だったのだ――)

置いた受話器を見つめながら、浅見はじっと考えにふけった。

ボート遭難四高生を偲ぶ集いがあったのは、広岡が殺された事件の一週間前のことである。

順子の話によると、外出から戻った広岡は、濡れた上着を着替えながら、順子に亡くなった父親の話をしたのだった。

――おやじが、いつだったか、「このままやったら琵琶湖は死ぬで」と言ったことがある。「死なんようにせなあかんが、おれは何もでけん。おまえが死なんように頑張れ」と言っていた。僕はたぶん、琵琶湖のために死ぬことになるやろな。

むろん、浅見がその順子の言葉を、すべて正確に記憶していたわけではないけれど、広岡はそういう趣旨のことを話していたのだそうだ。

順子にとって、それはきわめて唐突な印象があったらしい。

広岡は順子にその言葉を言う直前、加賀老人と会った可能性がある。そのことと、広岡の言葉とには、何か関連性があるのだろうか？

雨のそぼ降る湖畔で、加賀老人に傘をさしかけながら、肩が濡れるのもいとわず、老人の話に聞き入っている広岡の姿が、脳裏に浮かんできた。

加賀老人と会った直後に父親の話をしたということが、何か重要な意味を示唆しているのではないか？

（だとしたら――）

ふいに浅見は、閃くものがあった。その正体を見極めようとしたとき、

「なんぞありましたか？」

いきなり背後から声をかけられて、浅見はギクリとした。振り返った目の前に、矢代の疑惑に満ちた顔があった。

「ああ矢代さん……」と言ったものの、浅見はいましがた自分がキャッチしかけた得体の知れない衝撃を、矢代にどう説明すればいいのか、気持ちの整理がつかなかった。

浅見はべつのことを言った。

「加賀さんはボート遭難四高生を偲ぶ集いに、どういう名目で参加したのか、お調べになってみてはどうでしょうか？」

「はあ……」

矢代は、素人が何を言うのか――という目をそっぽに向けた。

「なぜそんなことを言うかというとですね、その会合に、守山の広岡さんも参加しているからですよ」

「守山の広岡？……」

矢代は怪訝そうに首をかしげた。

「何者です、その広岡いう人は」

「え？　ご存知ないのですか、守山市の自殺事件のことを」

「ああ、あれですか。そうか、あれは広岡さんという人でしたかねえ」

管轄外の、しかも自殺事件なんかにはあまり関心がないらしい。

「しかし、その広岡さんがボート遭難の慰霊祭に参加しておったからいうて、何か問題でもありますか？」

「もちろん、問題なんてありません。その遭難事件があったころは琵琶湖の水もきれいだったでしょうし、その当時の琵琶湖を懐かしむ意味があって参加したのかもしれませんからね。しかし、そのときのセレモニーには、上島総業の上島社長も参加しています」

「はあ……なるほど、そのようですな」

新聞の写真を見て、矢代は頷いた。

「開発促進派と環境保全派という、いわば不倶戴天の敵同士である上島氏と広岡さんが、同じ会場にいたというのは、注目すべき事実だと思いますが」

「まあ、それはそうかもしれませんがね」

「それとですね、その会場には、おそらく上島さんの部下の人も何人か来ていたのではないでしょうか」

「まあそうでしょうなあ」

「だとすると、長浜の海岸で死んでいた吉本さんという若い社員の人もいたのかもしれません」

「…………」

「つまり、広岡さん、加賀さん、それに吉本さんと、相次いで不審死を遂げた三人が、その場に来合わせたことになります。これは単なる偶然とするには、ちょっと異常すぎると思いませんか?」

「うーん、なるほど……」

直接、事件に関係のありそうな話に矢代は唸ったが、さりとて、そのことが何を意味するのか、意味があるのかないのか、ピンと来るものはなかったようだ。

「そういうわけですからね、そもそも、加賀さんがあの会合に出席していたのは、どういう背景があるのか、それを調べるべきだと思うのです」

浅見は補足説明をするようにそう言った。

「それは、だから、あれでしょう。加賀さんは当時の事故の遺族だとか、同窓生だとか、とにかく関係者の一人だったということでしょう」

「それを、より具体的に調べてごらんになったらいかがですか？」

「そりゃまあ、やらんことはないですがね。しかし、そんな半世紀も昔に起きた遭難事故の話と、今回の事件とは、何の関係もないのとちがいますか？」

「もちろん、遭難事故と事件とは関係ないと思います。しかし、琵琶湖は五十年間もずっと琵琶湖でありつづけたという意味で、ちゃんと繋がっています。それに、人間だって、死なない限り繋がっていますよ。五十年前に琵琶湖のほとりで、遭難学生を悲しんだ人と、いま、ここに来て、汚れきった琵琶湖を悲しむ人とが、同じ人物であっても不思議はないのです」

「それは加賀さんのことを言うとるわけですな」

「加賀さんだけでなく、広岡さんだって、親子二代にわたって琵琶湖の汚染問題に取り組んできたのですよ。湖畔に住んでいるという点で、加賀さん以上にしっかり密着しているとも言えます」

「それはそうかもしれんが、だからどうだと言いたいわけですか？」

矢代部長刑事はつまらなそうに言った。

「要するに、加賀さんも広岡さんも怒っていたということですよ」

浅見は静かな口調で言った。

「どんなに汚されようと、琵琶湖は言葉を発したり怒ったりはしませんが、人間は怒りますよ。いや、理不尽な開発や汚染から琵琶湖を守るために怒る人がいなければ、琵琶湖は……それに日本はどうなってしまうか、分かったものではないのです。加賀さんも広岡さんも、その『怒る人』だった。その怒りをぶつけるべき相手が目の前にいて、しかも、あたかも琵琶湖を愛するがごとく、慰霊の会合に出席しているのを見て、どんな想いがしたことでしょうか」

「ちょっと待ってくださいよ」

矢代は両手を浅見の目の前に広げて、押しとどめる仕草(しぐさ)を見せた。

「浅見さんの話を聞いとると、まるで加賀氏や広岡氏が上島氏を殺しそうに聞こえますけどなあ」

「そのとおりですよ。殺したくなったとしても不思議はなかったのかもしれない——と僕は思っているのです。詳しいことは知りませんが、上島総業が何か新しい開発や建設を始めようとしているとしたら、なおさらのことです」

「しかし、現実に殺されたのは加賀さんと広岡さん……いや、そうではないか、広岡さんは自殺やったですな」

「広岡さんの『自殺』にも、充分、疑うべき要素があると、僕は思っているのですが」

「さあ、それはどうですかなあ……いずれにしても、そっちの事件は管轄外です。あ、そろそろ急がないといかんな」

矢代はわざとらしく時計を見た。

「分かりました」

浅見も無理に矢代を引き止める気にはなれなかった。

「それじゃ、これで失礼しますが、一つだけ、加賀さんと広岡さんの関係をお調べになることだけは、ぜひお勧めします」

「いいでしょう、なるべくそうすることにしますよ」

矢代は言ったが、はたして実行するかどうか、心許(こころもと)なかった。

2

浅見は大津署を出ると、守山市へ向かった。守山署に寄って、そのあと順子未亡人に会うつもりだ。

途中、堅田(かたた)の浮御堂(うきみどう)に立ち寄った。

浅見は、加賀老人がどうやってあの場所に運ばれたのか、納得がいかずにいた。車で運び、肩に担(かつ)がれ——という方法論の問題ではない。なぜあの場所に「縊死(いし)」を装って吊り下げなければならなかったのか、その必然性が理解できなかった。

自殺に見せ掛けるという目的があったにしても、何もあの場所を選ぶことはないだろうに——

と思える。たとえば、比叡山の山中なら、首を吊るのにピッタリの、枝ぶりのいい樹木はいくらでも繋っているだろう。

車で浮御堂近くまで運んだとしても、境内を抜け、橋を渡って、目的の場所まで行くためには、重い死体をエッチラオッチラ担いで行かなければならない。ご苦労さまなことだ。

堅田の浮御堂は、たしかに夜間は人気が途絶える。しかし、そのことを知っているのは、地元の、よほど土地鑑のある人に限られるのではないだろうか。そういう点からも、警察は捜査対象を絞り込みやすいわけだし、それは逆にいえば、犯人側にとって不利な条件になる。

それにもかかわらず、あの場所を選んだのはなぜか——。

異常性格者による、一種のパフォーマンスである可能性もないことはないが、しかし、この場合には複数の人間の犯行と考えられるだけに、むしろ、何かの必然性を想定したほうが正しいだろう。

犯人は何かの目的をもって、加賀老人をあの場所に吊るしたのだ。

車を置いて、拝観料を払い、境内に入る。事件のことはすでに忘れられたように、境内は観光客で賑わっていた。

浅見は浮御堂へ橋を渡って行く人の中に、花束を抱いた初老の女性がいるのに気がついて、歩みを速めた。

女性は六十歳を少し越えたか——という年配で、明らかに喪服と分かる、黒いスーツを着て、やや俯きかげんに歩いて行く。

ほかの賑やかな人々と好対照なので、沈んだ装いが、かえって際立ってあざやかに見えた。

女性は堂の背後に回ると、周囲に人がいなくなるのを待つのか、花束を胸に隠して、遠い湖面を見つめた。

浅見は邪魔にならないように柱の陰に身を潜めた。

ほんのかすかだが、湖面に花束の落ちる音が聞こえ、そのあと、「さよなら、おとうさん」と、それも聞き取れないほどの声が耳に届いた。

浅見はしばらく間を置いて、柱を巡り、女性の脇に立った。

「失礼ですが、加賀さんの奥さんですか？」

低い声だったが、それでも未亡人を驚かしてしまった。

「え？　ええ、はい、そうですけど……」

うろたえながら答え、警戒するような目をこっちに向けた。

「こういう者ですが」

浅見は例によって、肩書のない名刺を出した。

「じつは、ボート遭難四高生を偲ぶ集いを取材に来ていて、ご主人とお会いしたのですが、加賀さんは守山市の広岡さんとお知り合いだったそうですね」

「はあ……」

未亡人はどう答えるべきか、思案しているように見えた。

浅見としてはちょっとした博打であった。加賀老人が広岡友雄の父親と知り合いではないか

――というのは、大胆な憶測である。もし間違っていたら、ずいぶん妙なことを言うヤツだと思われかねない。

「あちらへ行きましょうか」

浅見は未亡人に言った。しばらく途絶えていた観光客の、新しい一群がやって来て、狭い回廊の上は窮屈になった。

「はい」と、未亡人は素直に頷き、もう一度、湖に向かって黙礼してから、浅見のあとについてきた。

浅見は通路をはずれた境内の松林の中に入った。そこは、忘れ去られたように、人の来ない場所である。その湖岸近くに立って、松のあいだから湖面に映る浮御堂を眺めるのが、ほんとうはもっとも美しい風景なのだが、観光客は門から浮御堂へ、直線上を歩いて往復するような忙しなさだ。

「つい一週間ほど前、広岡さんが亡くなったのはご存じですか？」

浅見は立ち止まって、後ろを振り向くのと同時に訊いた。

「ええ、存じております。自殺なさったそうですね」

未亡人は憂いを帯びた顔を、いっそう沈痛に歪めて、言った。

「主人はそのことを聞いて、いったいどういうことだろうかと、大変驚きまして、今度の旅行では、ぜひとも詳しい真相を聞いてくるのだと申しておりました」

「真相……とおっしゃったのですか？」

「ええ、そう申しておりました。そのときは、なんだか探偵小説のようねと笑いましたのですけど、主人がこういうことになってみますと、ほんとうに何か、恐ろしい悪巧み（わるだくみ）があったのではないかと思えてまいります」

「おっしゃるとおりですよ」

浅見はきびしい表情を見せながら、

「僕もご主人と同じ考えです。広岡さんも単なる自殺ではなく、何かの事件に巻き込まれた可能性が強いと信じています」

「まあ……でも、警察はそうは思っていない様子ですけど」

「じゃあ、警察にもそのことはお話しになったのですか？」

「ええ、いま申したのと同じように、警察にも申し上げましたけれど、あれは自殺ですよとおっしゃって、あまり熱心には取り上げて下さいませんでしたよ」

「そうかもしれません」

浅見は残念そうに首を横に振った。

「ところで、ご主人は広岡さんとはどういうお知り合いだったのでしょうか？」

「あら……」

未亡人は不思議そうな顔をした。

「それはご存じではなかったのですか？」

「ええ、詳しいことは知りません。ただ、加賀さんのご年齢から言って、おそらく広岡さんのお父さんと親しかったのではないかと思ったのですが」

「ええ、おっしゃるとおりです。主人は広岡さんのお父さんと古いお知り合いだったのです。去年、広岡さんのお父さんが亡くなって、今度はじめて、ボート遭難四高生を偲ぶ集いの際、息子さんとお会いしたのです。琵琶湖から戻りまして、その話をしていた矢先に、広岡さんが亡くなられた……それも自殺されたと聞いて、もう、びっくりいたしまして……主人が申すには、広岡さんには自殺するような気配など、まったくなかったということでした。ただ、あとでお聞きしたところによると、広岡さんは癌にかかっていらっしゃったそうですから、あるいはそのことが原因だったのかしら、とは思いましたけれど」

「いずれにしても、ご主人は広岡さんの『自殺』の真相を調べようとされていたことは確かなのですね？」

「ええ、そう申しておりました」

「それをどうやって確かめるおつもりだったのでしょうか？」

「主人は詳しいことは何も申していませんでしたけれど、たぶん警察か、こちらの知り合いの人にでも訊くつもりだったのではないでしょうか」

「知り合い……というと、どういうお知り合いですか？」

「地元の会社で、上島総業というところがありますけれど、その会社の社長さんがお知り合いだとか申しておりました」

「上島総業の社長ですか!?……」

浅見は驚いて、思わず声が大きくなった。

「ええ、そうですけど……」

未亡人は脅えた表情を見せた。

浅見の脳裏に、観光船上での「活劇」が思い浮かんだ。あの活劇の主は上島総業の土木部長である。だとすると、あのときの船上の会合は、上島総業主催の晩餐会的なものだったかもしれない。ことによると、そこには上島社長も同席していたかもしれない。

その同じ時刻に、加賀老人は浮御堂で吊るされていたのだ。

「上島氏とは親しい間柄だったのですか？」

「さあ、親しいというのかどうか……ただ、広岡さんのお父さんと同じころからのお知り合いだと聞いております」

「そういえば……」と浅見はようやく気がついた。

「ご主人は六十四歳でしたね。広岡さんのお父さんも上島氏も、ほぼ同じくらいの年代じゃないでしょうか？」

「はあ、そうかもしれませんわね。わたくしはどちらともお会いしたことはありませんけれど」

「加賀さんの出身地はどちらですか？」

「滋賀県ですよ」

未亡人は、そんなことも知らないの？——という、意外そうな目をした。

「だとすると、四高生ボート遭難事件のころは、まだ十六歳ですか。えーと、十六歳というと、当時は中学生でしょうか？　それとも……」

「まだ中学生だったそうです」

「それじゃ、四高生とは、直接の関係はないのですね」

浅見はアテが外れた気がした。

「それなのに、なぜあれほどまで、ボート遭難四高生にこだわっていらっしゃったのでしょうか？」

「さあ……それはわたくしも存じませんのですけれど」

「毎年、お盆の時期には琵琶湖を訪れて、供養をなさっていたそうですが」

「はあ、そのようですけれど」

驚いたことに、未亡人はそれ以上の詳しい事情は知らないらしい。

「主人は慰霊のために琵琶湖へ行くという、その目的だけは申しておりましたけれど、故郷の滋賀県や琵琶湖の話はあまりしたがりませんでしたの。話したくないいやな思い出でもあったのかもしれません」

「琵琶湖には、奥さんとご一緒に来られることはなかったのですか？」

「ええ、昔、たった一度だけ参りましたけれど、それっきり……いまはもう、滋賀県には親戚もおりませんし、それに、あんな汚れた琵琶湖を見せたくないと申しまして。ほんとうに、琵琶湖はすっかり汚れてしまいましたわねえ……」

未亡人は湖を振り返って、慨嘆した。

「だとすると、広岡さんや上島氏との付き合いも、そう親密なものではなかったということでしょうか？」

「はあ、ですからね、それがよく分からないのです。手紙の遣り取りなどは、時候のご挨拶すらほとんどなかったと思いますけれど、電話ではときどき話している様子でした。いえ、それも、主人が会社に出ているころは、わたくしは存じませんでしたけれど、会社を辞めましてからは、自宅のほうにおりましたので、そういう電話をしているのが、耳に入ってまいりました」

「電話の相手は広岡さんですか？　それとも上島さんですか？」

「上島さんのことが多かったようです。電話で『上島』と、呼び捨てに言っておりましたし、たまに会話の中で広岡さんのお名前が出たのも、何度か聞いたように思います。でも、立ち聞きどころか、ほんの通りすがりに聞こえたようなものですので、はっきりしたことは分かりません」

「どういうお話をしておられましたか？」

「それもはっきりいたしませんけれど、たぶん仕事関係のことではなかったかと思いますけれど」

「あ、そうそう、加賀さんのお仕事は何だったのですか？」

「はじめ防衛施設庁におりまして、それから民間の建設会社の重役に……いわゆる天下りというのでしょうか、主人はその言葉を嫌っておりましたけれど、世間ではそう申しますわね」

未亡人は、喪服の袖を口に当てるようにして、かすかに笑った。

「そういったことは、警察にもお話ししたのでしょうか？」

「ええ、話しました」

「だとすると、警察も上島さんに事情聴取を行なっているのでしょうね」

「さあ、どうでしょうかしら。もちろんそうだと思いますけれど、でもわたくしは何も存じません」

未亡人は少し話し疲れたのだろうか、結論のようにそう言うと、ふっと遠い目になって、湖上に舞う白鷺（しらさぎ）の行方（ゆくえ）を追った。

3

加賀未亡人と会ったことで、浅見の予定が変わった。

浅見は未亡人と別れると、大津市街に引き返して、上島総業に乗り込んだ。まさに「乗り込む」という表現がぴったりのような気負いが浅見にはあった。

上島総業は七階建の自社ビルの五階から上を使っている。四階までは、一、二階が店舗、三、四階をオフィス関係に貸している。おそらくテナント収入だけで、ビル全体の維持経費は出ているにちがいない。

五階でエレベーターを下りると、目の前に受付があった。まだ新人のような初々（ういうい）しさの残る女性が、大きな目をこっちに向けた。裏でかなりあくどいことをやっている会社なればこそ、こういう美しい「顔」が必要なのかもしれない。

浅見は名刺を差し出して、「上島社長さんにお会いしたいのですが」と言った。

「ご用件は何でしょうか？」

女性は小首を傾げて訊いた。

「加賀さんのことについて、お話をお聞きしたいと、そうお伝えください」

「少々お待ちください」

女性は背後のドアに入って、しばらく待たせてから現れると、「どうぞ」と応接室に案内してくれた。

ほとんど待つ間もなく、中年の男がやってきた。その顔を見て、浅見は思わず「ああ」と懐かしそうな声を発してしまった。男は、先日の船上での乱痴気騒ぎの「紳士」であった。

もっとも、そのときとはうって変わって、服装も顔つきも、謹厳実直そのもののように身構えている。

「このあいだはどうも」

浅見が挨拶すると、紳士は瞬間分からなかったらしい。怪訝そうに浅見を見つめ、それから「あっ」と言った。

「あんた、ミシガン号の、あのときの……」

「その節は失礼いたしました」

浅見は笑顔で、あらためてお辞儀をした。紳士は返礼するのも忘れて、疑惑に満ちた目で浅見を睨んだ。

「そしたら、社長に用事いうのんは、あんたでしたんか？」

「ええ、浅見という者です。そちらは確か、土木部長さんでしたか」

「ああ、土木部長の後藤です」

名刺を出す気はないらしい。浅見の名刺もポケットにしまって、突慳貪に言った。

「なんぞ、文句でもあって来たのですか？」

「いいえ、とんでもない。今日は加賀さんの知り合いとして、お邪魔したのです」

「そう聞いたが……あんた、加賀さんとはどういう関係です？」

「はあ、東京でときどきお会いして、いろいろ教えていただいておりました」

「ふーん……」

後藤はそっぽを向いて、煙草を取り出すと、ゆっくりした仕草で火をつけた。浅見が何の目的で来たのか、あれこれ模索している様子だ。

「それで、何か用事ですか？」

煙と一緒に、窓に向かって言葉を吐いた。

「社長さんにお目にかかりたいのですが」

「いや、社長はちょっと外出中です。私が代わりに聞きますが、なるべく手短に願いたいもんですな」

「それでは早速、用件だけ言います」

浅見は座り直して言った。

「加賀さんが殺された事件のことは、ご存じでしょうね？」

「もちろん知っております」

「じつは、あの日の加賀さんの足取りを追っているのですが、あの事件があった日、加賀さんは大津に来て、まずこちらの会社を訪ねられたことは分かっています。その際、後藤さんはお会いにならなかったのですか？」

「ん？」

後藤はちょっと躊躇(ためら)ったが、その程度はべつに問題ないと判断したらしい。

「ああ、お会いしましたよ」

「社長さんとご一緒に？」

「そうです」

「それは何時ごろでしたか？」

「昼過ぎでしたかな」

「どういう用件だったのですか？」

「ん？……あんたねえ、そんなことはおたくさんに関係ないでしょうが」

ようやく抵抗線に達したのだろう、後藤は苦い顔をして回答を拒否した。

「しかし、その後の加賀さんの行動を推理するためには、それをぜひお聞きしたいのですがねえ」

「まあ、大した用件ではなかったですよ。うちの社長と古い友人関係にあったそうで、いわば久々の表敬訪問といったところじゃないのですかな」

「その後、どこへ行くとか、そういうことはお聞きになっていませんか？」

「ああ、聞いてませんなあ」

「ところで、同じ日の夜に、長浜でこちらの社員の方が殺されましたねえ。あの事件のことはその後どうなりました？」

「さあなあ、さっぱり分かりませんなあ。警察で調べてはるところでしょうが」

後藤は立ち上がって、「このへんでよろしいでしょう」と言った。

「もう一つ聞かせてください」

浅見はしつこく、座ったままで訊いた。

「加賀さんの話によると、また新しい開発事業が始まるそうですが、地元の反対運動とのかねあいについては問題ないのですか？」

「ん？……」

後藤はこれ以上はない、なんともいやな表情を見せた。

「加賀さんが何を言うたか知りませんがね、新規の事業はまだ計画段階ですからな、地元の反対も何もあったもんではないのです」

「ああ、つまり、目下のところ、水面下で画策中というわけですか」

「あんたねえ……」

後藤はいっそう不愉快そうに言った。

「そういう言い方をしたら、なんぞ、悪いことを企んどるように聞こえるやないですか。当社は公明正大に仕事をするのがモットーですよって、そういう、ありもしない風説を立てんでもらいたい」

「ほう、そうしますと、例のウェストレイクパークランドも公明正大な事業であったがために、挫折したということになるのでしょうか？」

「なにっ！……」

土木部長の顔が真っ赤になった。ミシガン号の騒ぎのときを髣髴させる変貌であった。何が後藤をして、そこまで逆上させたのか、浅見はむしろ呆れてしまうほどであった。

（そうか、『ウェストレイクパークランド』が癇にさわったか――）

一瞬の閃きであった。闇雲に投げた餌に、思いがけない獲物がかかったのかもしれない――と胸が騒いだ。

後藤はすぐに動揺を鎮めたが、それがかえって浅見の不審を確定的なものにした。

「ウェストレイクパークランドを再度、建設するのだそうですねえ」

「…………」

後藤は何か言おうとして、口ごもった。否定する、うまい言葉が見つからなかったらしい。

「加賀さんも、それにそう、広岡さんも、その件については反対意見を持っておられたのですが、ああいう亡くなり方をして、上島総業さんとしては、さぞかしほっとされたことでしょうね」

「あ、あんた、何が言いたいのんや？」

後藤は動揺を隠せず、声が震えた。

「いえ、僕はべつに何も……ただ、加賀さんや広岡さんから聞いたことを地元の人たちにお知らせするのは、生き残った者の義務かな——と、そんなことを思う今日このごろではありますけど」

「なるほど……」

ふいに、後藤の目が据わった。ヤクザ者がヤクザ者を見る目であった。その目付きのままで、顔の下半分だけが笑った。

「へへへ、そういうことですか、おたくさん、カネが目当てでっか。それならそうと言うてくれれば、ことは簡単やったのに」

「冗談じゃありませんよ」

今度は浅見がうろたえた。

「僕はそんなつもりで来たわけじゃありませんよ。あくまでも加賀さんや広岡さんの遺志を尊重しようとしてですね……」

「まあええやないですか、ちょっと待っていてくださいよ。それなら社長に挨拶してもらわなあかん」

呟きながら、後藤はドアの向こうに消えた。

妙な展開になったものである。しかし、何はともあれ、上島社長が現れてくれるのなら、それもまた面白い——と、浅見は腹をくくった。

それにしても、おっそろしく長い時間を待たされた。十分ほどして後藤は戻って来たけれど、それからさらに十五分は経過した。その間、後藤は寡黙のひとに変身して、浅見が何か話しかけても、だんまりを決め込んでいた。

しびれを切らしかけたころ、ドアがノックされた。

「どうぞ」と、後藤は座ったままで応じた。社長を迎えるにしては、いささか礼儀を失しているな——と怪しんだ浅見の目の前でドアが開き、矢代部長刑事の顔が現れた。

4

「やっぱしあんたか」

矢代のそれが第一声であった。浅見を見下ろして、うんざりしたように、精一杯に顔をしかめた。

矢代の後ろには部下の刑事が二人、従っていた。

「あれ？　社長さんが見えるのではなかったのですか？」

浅見は半分は本気でびっくりした声を発した。

「社長は留守や言うたでしょうが。それに、あんたには社長より警察のほうが似合うとるのとちがいますか」

後藤は小気味よさそうに笑った。

「あんた、ちょっと署まで来てもらいましょうか」

矢代が言い、二人の刑事が浅見の背後に回った。いやだといえば、両腕を把って連行する構えだ。

「分かりました、僕もちょうど警察に行こうかなと思っていたところです」

浅見は少し芝居がかった目で、ジロリと後藤を睨んだ。後藤は横を向いて、浅見の脅しを無視した。単なる強がりではなく、何かしら自信ありげなのが気になった。

大津署まで、浅見のソアラに刑事が一人、同乗した。「いい車やな」と、面白くもなさそうに言ったのが、唯一、彼との会話であった。

大津署に着くと、いきなり取調室に入れられた。硬い椅子に座らせられ、向かい側には矢代が座った。

まず浅見の住所氏名など、すでに名刺を渡して分かっているはずのデータを訊いて、刑事の一人が部屋を出て行った。警察庁の資料と照合して、前科の有無等を確認するのだろう。

「あんた、上島総業に何をしに行ったのですか？」

矢代は不愉快そうに訊いた。

「それはもちろん、加賀さんの事件のことを訊きに行ったのですよ」

浅見はできるだけ陽気に答えた。

「ただそれだけじゃないでしょうが」

「それだけですよ、ほかに何もありません」

「嘘を言ったらあかんな。あんた、後藤土木部長を脅迫したそうやないですか」

「脅迫？」

「いや、恐喝と言うたほうがええかもしれんな。まあ、未遂に終わったが、現行犯やからな、逮捕しても構わんのやが」

「とんでもない、僕は脅迫も恐喝もしていませんよ」

「しかし、後藤さんはそう言って通報して寄越したんやからな」

「それはあの人の勘違いでしょう。早トチリと言ってもいい。僕はあくまでも加賀さんの事件の解明が目的で、話を聞きに行っただけですよ。しかし、それを恐喝と感じるのだから、大いに怪しいですね。警察は上島総業を徹底的に調べるべきです」

「あんたねえ……」

矢代は鼻の頭に皺を寄せて、大きな声を出した。

「警察を舐めてもろうたらあかんで。われわれかて、アホやないのやから、あんたごとき素人に言われんでも、やるべきことはちゃんとやっとるのです。あんたみたいな者がチョッカイを出せば、捜査に支障をきたして、大いに迷惑する」

「なるほど、それは失礼しました。それじゃ、警察はすでに事件を解明しつつあるのですか？」

「当たり前やがな」

「ほんとですか……」

浅見は正直に驚きの色を隠さない。

「ほんとに犯人を突き止めたのですか？」

「ああ、ほとんど解明して、あとは裏付け捜査の段階やな」

「すると、やはり上島総業が犯人ですか？」

「上島総業？　なんで会社が犯人なんや」

「いえ、つまり、上島総業の人間による、組織的な犯行――という意味です」

「いや、犯人は一人や」

「一人？　そこまで特定してしまったのですか？」

「ははは、素人さんはびっくりしたやろな」

矢代はそっくり返って笑った。部下の刑事も、いくぶん遠慮しながら笑っている。

「ええ、驚きました……というより、感心しました。さすが警察ですね、いったい犯人は誰なんですか？」

「そんなことは言えるはずがないやろが」

「それはもちろんそうですが、せめてヒントだけでも出してくださいよ」

「アホらし。それよか、あんたの恐喝容疑を調べるのが先や」

「ですから、僕は恐喝なんかしていないと言っているのです」

「容疑者は誰もがそう言うもんや」

そのとき、データを調べに行った刑事が戻って来た。

「ふん、前科はないようやな。そうすると初犯いうわけか。それやったら、正直に言うてしもうたほうがええで。でないと、情状酌量も認められんようになる」

「情状酌量してもらわなくたって、べつに悪いことをしたわけじゃないのだから、いっこうに構いませんよ」

「そら、未遂には終わったいうても、恐喝は恐喝や。被害者からの届け出があったからには、黙って帰すわけにはいかんのやで。調べが長引いて、署に泊まってもらうようなことにでもなれば、あんたの奥さんも心配するやろし」

「僕には心配してくれるような女房はいないのです」

「なんや、独身か。それやったら、おふくろさんやとか、おやじさんやとか、そういう家族の者たちに心配やら迷惑をかけることになるやろが」

母親のことを言われて、とたんに浅見は意気消沈した。

「そう言われても、僕は何もやっていないのですからねえ、帰してくださいよ」

当惑して、懇願調になった。

「そやから、帰してやるよって、正直に言うてしもうたほうがええと言うとるんや」

「弱ったなあ、いくらそう言われたって、やっていないものをやったとは言えないでしょう」

「そうか、それやったらゆっくりしていってもらおうか。なんぼ遅くなろうと、こっちはいっこうに構へんのやさかいな」

「そっちはよくても、僕は大いに迷惑です。いろいろ仕事もしなきゃならないし、第一、一刻も早く、加賀さんの事件を解明しなければなりませんからね」

「まだそないな、寝言みたいなことを言うとるんかね」

　矢代はせせら笑った。

「さっきも言うたように、その事件やったら、われわれ警察のほうでばっちり解明しつつあるよって、あんたに心配してもらわんでもええのや」

「ああ、そうそう、容疑者を特定したとかおっしゃってましたっけね。しかし、犯人は一人と言いませんでしたか？」

「そうや、一人や」

「それがちょっと気になるのですが……まさか、その犯人というのは、あの長浜で死んだ上島総業の社員——えーと、確か吉本さんでしたっけ、あの人の単独犯行だなんて、そんなことはおっしゃらないでしょうね」

「ん？……」

　矢代の笑顔が、たちまち引っ込んだ。

「あれっ？　じゃあ、そのまさかなんですか？　嘘でしょう？」

　浅見はいかにも呆れたと言わんばかりに、疑いの目を矢代に向けた。

「…………」

　矢代は苦い顔をして、背後の二人の刑事と視線を交わした。

「いや、それはまだ決まったわけじゃないが……だけどあんた、吉本の単独犯行では気に入らないというのかね？」

「そりゃそうですよ。第一、吉本氏の犯行かもしれないなんてことぐらい、僕たち素人にだって考えつきますよ。しかし、単独犯行というのは無理でしょう？　だって、あの浮御堂の欄干に加賀さんを吊るす作業は、一人ではできっこありませんからね」

「そうとは断定できんでしょうが。吉本一人でも絶対に不可能いうわけではない」

「そりゃ、吉本さんがアントニオ猪木なみの怪力の持ち主だとでもいうのならともかく、常識的に考えて、たぶん無理でしょうね。実験してみれば分かることですが……それに、共犯者がいればいとも簡単にできる作業なのに、なぜ単独犯行に固執しなければならないのですか？」

「目撃者がおるんや」

矢代は得意そうに言った。捜査の状況など話せない——と言っていたくせに、浅見の好奇心に乗せられたように、けっこう、よく喋った。

「えっ？　ほんとですか？」

浅見はゼスチャーでなく、心底、驚かされた。

「ああ、ほんまや。あの日の夕方時分、たまたま、雄琴（おごと）温泉の従業員の一人が岸辺で仕事をしとって、吉本と加賀さんがモーターボートで通過するのんを見ておったんや」

「それは、加賀さんと吉本氏の二人に間違いなかったのでしょうね？」

「ああ、そうや。従業員の話によると、だいぶ暗くなっておったが、顔を識別できる程度ではあったそうや。刑事が聞き込みに行った際、写真を見せたら、すぐに分かった言うとった」

「じゃあ、その時点では、加賀さんはまだ無事だったのですね？」

「もちろん、ぴんぴんしとって、周囲の景色を眺めておったいう話や」

「まだ顔を識別できる程度の明るさが残っていたというと、午後七時ごろでしょうかねえ？」

「七時前とか言うとったな」

その時刻には、浅見はすでにミシガン号に乗り込んで、そろそろディナーも佳境に入ろうとしていたはずだ。

「そうすると、警察はそのあと、吉本氏がどこかで加賀さんを殺害して、浮御堂へ行き、欄干にロープを結び、加賀さんの遺体を引き上げて吊るした——と、そう考えているわけですね」

「そのとおりや」

「その場合でも共犯者を想定できるのではありませんか？　たとえ、その時点では二人しか乗っていなかったとしても、どこかの岸に寄って、第三の人物をボートに乗せることはできたはずです。あるいは、あらかじめ浮御堂に誰か待機していて、二人で協力して吊るしたのかもしれません」

浅見はさらに追及した。

「少なくとも、あとのほうは無理やろな」

矢代はあっさり首を横に振った。

「浮御堂へ行く道の辺りは、割と人通りがあって、誰にも目撃されずに御堂まで行くのは難しいのやそうだ。そら、偶然、誰にも見られんと行くことも可能かもしれんが、完全犯罪を企てるほどの犯人なら、そういう危険を冒すはずはない」

矢代の言うことには説得力があった。

「それでは、どこかで誰かを乗せたというのはどうですか？」

「それはあり得るが……しかし、なんでそんな厄介なことをせなあかんのかなあ。そもそも、あんな場所に死体を吊るした理由をどう説明するいうのんや？　単に殺すだけやったら、湖に突き落とせばええのに」

「そこですよ！」

浅見は思わず嬉しそうな声を発した。

「そこのところ、警察ではどう考えているのか、ぜひお聞きしたいですねえ」

「え？……」

矢代は慌てて二人の部下を振り返った。ついついお喋りが過ぎたことを反省したらしい。まずいな――というように、にわかに怖い顔をとりつくろった。

「いや、あかんあかん、あんたにそれ以上、事件内容について話すわけにはいかんよ。だいたい、あんたは恐喝事件の容疑者なんやからな」

「またそれですか」

浅見はうんざりしたように首を振った。

「そんなことより矢代さん、僕なら犯人どもの意図について、説明できるのですがねえ。お聞きになりたくはありませんか？」

「ん？……」

矢代は浅見の申し出に喜ぶどころか、いっそう不愉快そうな顔になった。

「犯人の意図いうて、それは何やね？」

「つまり、なぜ浮御堂に加賀さんの死体を吊るしたか——というより、吊るす必要があったのかについてです」

「そんなもん……」

分かっている——と言いかけて、矢代は口ごもった。

「もし警察がその理由を知らないのでしたら、お教えしてもいいのですが」

「アホらしい」

矢代は脇を向いた。

「なんであんたみたいなのに教えてもらわなならんのや。そんなことより、本来の、あんた自身の容疑について、身の潔白を証明する算段でもしたほうがええのとちがうか」

「またそれですか……あ、そうだ、もし疑うのなら、守山署の横沢部長刑事に問い合わせてみてくれませんか」

「ん？　なんや、あんた横沢さんの知り合いかね？」

矢代の態度が変わった。

「横沢さん、ご存じですか？」

「ああ、知っとるどころやない、自分と同期やがな……そうか、横沢さんの……」

矢代は二人の部下に「もうええわ」と言って、取調室を出るように顎をしゃくった。

5

「知り合い」と聞いても、矢代は一応、警察の人間らしくウラを取ったらしい。

それから間もなく、浅見は矢代に連れられて、大津署の近くにある喫茶店に行った。そこでコーヒーを飲み終えたころになって、横沢がやって来た。

「なんや、浅見さん、恐喝容疑で捕まったのやそうですなあ」

向かいあいの椅子にドシンと腰を下ろすやいなや、横沢は冷やかすように言って、愉快そうに笑った。

「矢代さんはしつこい男やさかい、だいぶん絞られたのとちがいますか？」

「ええ、一時は死刑を覚悟しました」

「そんなアホな……」

矢代は真っ赤な顔をして、ほかの二人と声を揃えて笑った。

「じつは浅見さん、いまだから言うが、加賀さんの事件は吉本の事件と一緒に、長浜署との合同捜査に入っておりましてね、われわれ所轄の人間よりも、ほとんど本庁の人たちの手に委ねられておるのですよ。さっき話したように、ほぼ吉本の単独犯行説で固まって、現在は裏付け捜査に絞られた状況です。まあ、そういうわけだから、浅見さんが指摘した共犯説いうのは、自分個人としては共感する部分もあるのやが、いまさら上に持ってゆくいうのはどうも……」

「なるほど、それは矢代さんの立場としては難しいかもしれませんね」

そういう警察組織内の仕来りについては、浅見も理解できる面がある。すでにデータが出尽くして、上部で方針が固まったものを、下の人間が引っ繰り返すような進言や提言はしにくいものなのである。

「そんなもん、構わんさかい、あんた独りで捜査を進めたらよろしいがな」

横沢は無鉄砲なことを言うが、矢代は横沢ほど大胆にはなれない性格らしい。

「もっとも肝心なことですが」と浅見は矢代に訊いた。

「かりに吉本氏の単独犯だとして、動機は何だと考えているのでしょうか？」

「それがまだはっきりせんのやけど、たぶん上島総業にとって、加賀さんが好ましくない存在であったいうことやろと、そういう推測で固まっておるようですな」

「それはそのとおりだと思いますが、しかし、吉本氏までが死んだのを、どう解釈するのでしょうか？」

「うーん、それで困っとるのやが……結論としては、吉本は加賀さんを殺害したあと、自殺したか、あるいは過って服毒してしまったか、たぶん後のほうやないかという説が有力のようですなあ」

「間違って毒を飲んだのですか？」

浅見は呆れ顔で訊いた。

「もし自殺でないとすると、ほかに考えようがないでしょう」

矢代は唇を尖らせた。

「いや、間違った言うても、自分では毒物と知らずに——いう意味も含めてですがね。たとえば、加賀さんを毒殺するつもりで持っていた薬を、間違って飲んでしまったのかもしれんし、あるいはほかの、風邪薬か何かと勘違いして飲んだ可能性かてある。その証拠に、ボートの中に吉本の指紋のある飲みかけの缶コーヒーがありましたよ」

「その残っていた液体の中からは、毒物は検出されなかったのですか？」

「出ませんでした。いや、もし出ておれば、私かて他殺のセンを考えていますよ」

矢代は結論を言うように言った。

「いずれにしても、吉本は自分の意志で毒物を飲み込んだことは確かでしょうな。まあ、その毒物が何者かに与えられたものであるのかどうかいう点はなんとも言えんですけどね」

「その場合でも」と浅見は言った。

「同じ現場に第三の人物がいて、吉本に毒物を与えたと考えるほうが自然だと思いますが」

「しかし、なんぼ体にいい薬だとか言っても、そんなもの、疑って飲みゃあせんでしょう」

「いや、薬とは言わず、たとえばウィスキーボンボンの中に毒を仕込んで飲ませる方法だってあるかもしれません」

「うーん……それはまあ、あり得ないわけやないですがなあ。しかし、たとえそういうことがあり得たとしても、その第三の人物が想定でけんのやから、どうしようもないでしょう」

矢代は憮然として言った。警察の人間としては、無理でも強引でも、捜査当局の方針に批判的なことは言えない。第一、批判しようにも別案がないのだ。

「じつは、吉本のカミさんに事情聴取したところ、吉本は事件の前日の夜、カミさんにでっかいことを言うとったいうのです」

矢代は警察の「推理」を補強するように言った。

「それによると、何でも、吉本は湖西地区の住宅地に家を建てるとか、そういったような話をしとったそうです。えらい唐突な話やったもんで、吉本のカミさんはびっくりして、何があったのか訊いたのやが、それ以上の詳しい話はせんかったいうことです」

「吉本はたしか、まだ三十前でしたね？」

浅見は言った。

「その若さで家を建てることができるほど、上島総業の待遇はいいのですか？」

「いいや、上島総業は給料の安いので有名な会社やそうです。それに、吉本だけが突出して待遇がよかったいうことはないいう話でした。会社内や下請け業者間での吉本の評判は、あまりよくなかったみたいですな。上島総業自体、かなりヤクザがかったところのある会社やったが、その中でもとくに吉本は過激で、しょっちゅう暴力沙汰を起こしておった、札つきの男です。土木工事の現場では、まるでタコ部屋の親分みたいに恐れられとったそうやし、琵琶湖の水を守る運動に対しても、いわば斬り込み隊の一番手を自任しとったようなところがありましてね。そうそう、例の広岡さんなんかも、もっとも警戒しとったのとちがいますか」

「それだと、上島総業にとっては、ある意味では有用な人材といえるのではありませんか？」

「うーん、それがそうでもないみたいでしてね。あそこまでやりすぎると、いささか、持て余しぎみなところがあったようです」

「じゃあ、吉本氏が加賀さんを殺して、自分も死んでくれたというのは、上島総業にとっては、まさにハッピーエンドだったことになりますね」

「まあ、はっきり言って、そういうことでしょうなあ」

「逆にいえば、吉本を殺す動機が、上島総業側にはあったということになりますね」

「それはそのとおりですが、しかし、これまでの捜査では、物理的に言って、その可能性はないというのが結論です。要するに、共犯者の存在がまったく浮かんでこんし、吉本以外に、あのモーターボートに乗っておった人物いうのが、どうしても割り出せんいうことです」

「モーターボートには、遺留品とか指紋、足跡のたぐいはなかったのでしょうか？」

「もちろん長浜署の鑑識が採取しておりますよ。吉本のもの以外の足跡もいくつかあったいうことでした。しかし、吉本を運び出す際に、何人かの人間がボート内に入っておりましてね、自分の知っておる段階までは、足跡の主は特定でけてへん状況でありました」

「ボートはまだ、警察が保管しているのでしょうね？」

「たぶんそうやと思います。ボートの持ち主は上島総業の関連会社の社長で、事件当日、吉本に貸したものやそうです。しかし、人が死んどったボートには、当分は誰も乗る気にはなれんのとちがいますかな」

「その足跡、照合してみませんか？」

浅見はまた、いきなり言って、二人の刑事を戸惑わせた。

「はあ？　照合するいうて、どこと照合するのです？」

矢代は訊いた。

「もちろん、上島総業の幹部連中ですよ」

「？……」

「吉本氏は奥さんに対してでっかい話をしていた点などから見て、社の上層部の人間から、何かおいしい話を持ち掛けられていた形跡がありますよね。家が一軒建つほどの莫大なエサをちらつかせるのですから、かなりヤバイ仕事であったことは想像に難くありません。それが加賀さんを殺害する話だったとしても、不思議はないと思います。上島総業の人間——とくに加賀さんに脅威を感じていた上層部の連中の中には、誰か犯行動機を持った人物がいたのではありませんか？　上島社長かその周辺にいる幹部クラスなら、吉本に家を持たせてやるぐらいの約束は言えたでしょうからね」

「うーん……しかし、加賀さんがどういう脅威を与えておったか知らんが、加賀さんを殺しても、吉本みたいな男に重大な弱みを握られるのは、あまり得策とは思えまへんけどなあ？」

「もちろんそうですよ。加賀さんを片づけたあと、吉本氏を生かしておくはずもありません。吉本氏はアブナイ人間ですからね。その証拠に、口止めをしてあったはずなのに、奥さんにペラペラ『でっかい話』を喋っています。おそらく、『仕事』を命じた人間は、目的を達したあと、すぐに吉本氏を消すつもりでいたでしょう。現実にそうなったじゃありませんか」

「そうすると、吉本は加賀さんを殺して吊るしたあと、上島総業の幹部の誰かに殺されたいうわけですか」

「そらそのとおりや思うなあ」

横沢が浅見説に賛成した。

「かりに上島総業側に動機があったとしてもやね、加賀さんや吉本を殺害するために外部の人間──たとえば暴力団関係の人間を頼んだとすれば、また恐喝を受ける危険性があるわけやものな。吉本を殺すのは、やっぱし自分の手でせな、あかんかったやろ」

「うーん……」

矢代は唸った。

「しかし、もしそうだとすると、いったい誰がやったのかなあ？」

「上島社長か、あるいはそれにごく近い人物だと思いますね」

浅見は断定的に言った。

「秘密を拡散しないためにも、ごく限られた人間だけでことを完結させなければなりませんからね。おそらく幹部クラス数人の枠の中に絞られると思いますよ」

「それやったら、指紋や足跡を取るのは簡単やないか。どや、矢代さん、あんたやってみたら」

横沢がけしかけた。

「なんならわしがやってもええのやが、まったくの管轄外やしなあ」

「そうあっさり言うてもろうたら困るけどなあ……」

矢代は顔をしかめたが、気持ちは動いているらしい。腕組みをして、思索的な視線をキョトキョトと移動させてから、「ひょっとすると」と言った。

「すでにその作業は進められておるかもしれんな。自分が捜査に携わっておったのは、まだ初期の段階やったし、その後、長浜署のほうと合同で特別捜査本部が開設されてからは、あまり詳しいことは知らんのです。そうやな、ちょっと聞いてみますわ」

矢代は店の隅にある電話に向かって、かなり長いこと話していた。時折メモを書き込んだりしていたが、やがて受話器を置くと、「やっぱり、すでに調べとったそうです」と、落胆ぎみの表情で戻ってきた。

「さすが、県警本部の連中は抜かりありまへんわ。浅見さんが言わはったことは、織り込みずみいうことのようですな」

「なるほどねえ、そうでしょうねえ。素人が思いつく程度のことは、ちゃんとやっているでしょうからねえ」

浅見もその点には満足した。

「それで、調べた結果、どうだったのでしょうか？」

「該当する足跡が二つだけあったそうやが、事件当時、その二人の人物にはちゃんとしたアリバイがあったという話でした」

「その二人とは、上島総業の幹部なのですね？」

「そうです。さっきも言うたように、ボートは上島総業の関連会社の所有なもんで、ときどき上島総業の幹部連中も乗っておったいうことです。したがって、足跡があったとしても不思議はないいうわけですな」

「その足跡の主である幹部というのは、誰と誰なのですか？」

「専務の瀬下(せした)氏と土木部長の後藤氏やそうです」

矢代はメモを見て言った。

「後藤氏……」

浅見はドキリとした。脳裏に、あの夜のハプニングが浮かび上がった。

「あっ、そのアリバイというのは、もしかすると、ミシガン号の上でディナーパーティーに出席していたことによって、成立しているのではありませんか？」

「ほう、よう知ってはりますなあ」

矢代は驚いた。

「ええ、なぜかというと、あの夜、僕もミシガン号に乗り合わせていましたから」

「ああ、そうやそうや、浅見さんとはじめて知り合うたのは、あのときやったですな」

横沢も言った。

「そうでしたか、それやったら知ってはるわけですな。まさにそのとおりですよ。あの晩は、上島総業の主だった連中はすべてあの船に乗って、得意先の客を招待しとったのです。そしたら、ひょっとして浅見さん、そのとき、後藤土木部長が喧嘩騒ぎを起こして、ちょっとした怪我をしたいうのを、知ってはらしませんか？」

「ははは、知っているどころか、その喧嘩の相手というのは、この僕なのですよ」

「えーっ？　こりゃ驚いた。そうですか、浅見さんやったのですか。それならますます、後藤氏のアリバイは確かですなあ」

矢代は残念そうに言った。

「じつは、吉本の直属の上司はその後藤部長でしてね、吉本に命令できる立場にあったわけですよ。そこへもってきて足跡が一致したいうので、後藤氏にはとくに関心を抱いて調べとったのやそうですが、そういう確固たるアリバイのあることが分かったもんで、後藤氏を含め、上島総業の幹部全員が捜査の対象から外されたいうことです」

「そういえば、僕たちもその騒ぎのお蔭で、アリバイがあると、冗談まじりに話していたのでした」

浅見は話しながら、あの夜のミシガン号での出来事を思い返していた。なんだかずいぶん遠い昔のようだが、ほんの二日前にあったことなのだ。

「なるほど、警察がこんなに早い段階で、関係者のアリバイ調べを終えてしまったのは、そういう事情があったからなのですね。だとすると、上島総業にとっては、ますます都合よくお膳立てができていたことになりますかねえ」

言いながら、浅見は（気にいらないな――）という思いが、強くした。あまりにも、何もかもが上島総業に都合よくできすぎている。そのことが、かえって、浅見の上島総業に対する疑惑を増幅させた。

第六章　哀歌の流れる湖

1

翌日の午後、浅見は守山署に横沢を訪ね、連れ立って広岡家を訪問することにした。相川が妙に気になるらしく、朝の出勤前、遅刻しそうになるというのに、「おい、順子さんのところに独りで行くつもりか」としつこく訊くのがおかしかった。

「心配しなさんな」と宥めすかして送り出したけれど、やはり若く美しい未亡人を訪ねるのには、いろいろ気を使うものである。

総理大臣の誕生と、それに続いてスキャンダル問題が発覚する騒ぎがあって、守山市はこのところテンヤワンヤだ。そのせいでもないのだろうけれど、広岡の「変死事件」に対する守山署の捜査は、事実上、何もしてないに等しいらしい。

「広岡さんの事件ですら、さっぱり進展してへんのに、また二つの事件が連続して発生して、わけの分からんことになってきましたなあ」

道中、横沢はそう言って、しきりに慨嘆した。

「いや、それほど悲観したものではないでしょう」

浅見は横沢を慰めるように言った。

「犯人はかなり焦って、犯行を重ねているはずですからね、どこかに破綻があるにちがいないですよ。動機さえはっきりすれば、手品の種明かしは割と簡単なものです」

「そりゃ、わしは広岡さんのところの密室殺人で、すでに浅見さんのお手並みを見せてもろうておりますからなあ。まあ大船に乗った気持ちでおると言いたいところやが、しかし、矢代君の話を聞いたかぎりでは、どうも厄介な事件らしい。それとも、その手品の種に、なんぞ心当たりでもおますのか？」

「いいえ、何もありません」

「ははは、えらいあっさりと言いましたな。もうちょっと期待を持たせて欲しいものやけどねえ」

「いまは何もないけれど、そのときが来れば見つかるものだということです」

浅見は横沢に対して――というより、むしろ自分に言い聞かせる意味で、力強い調子で言った。

広岡順子は、折よく買い物から帰ったばかりのところだった。

「けさ、東京の森史絵さんから電話がありましたよ」

玄関先で二人の客の顔を見るなり、そう言った。

「お二人にもよろしくっておっしゃってました。ミシガン号の中で、恐ろしい目に遭ったりしたけれど、ああいう事件があったお蔭で、皆さんと知り合えてよかったって、喜んでいました。ほんとに、何が幸いするか分かりませんわね」

「ほんとですね。そうしてみると、あの後藤部長の乱暴も、まんざら非難ばかりできないっていうわけですよねえ……」

相槌を打ちながら、浅見はふと、心に引っ掛かるものがあった。

広岡が殺されていたダイニングキッチンは、すっかり模様替えして、惨劇の跡を感じさせないほど明るくなっていた。

「いつまでも悲しんでばかりいてもしようがないので、何か家でできる仕事を始めようかと思っているのです」

順子は少し照れくさそうに言った。広岡がやっていた印刷会社は、そのまま、多少の借金とともに、残された従業員に譲ったので、その下請けのような、原稿書きや校正の仕事をしてゆくそうだ。

はじめて会ったころの沈んだ様子が嘘のように、順子の一つ一つの仕草が生き生きとしている。夫を喪った悲しみが、時間とともに薄れてゆくせいか、彼女本来の美しさが戻ってくるように思えた。

相川勇志がいつの日にか、広岡未亡人と結婚するのかどうか——。浅見はしかし、そのことには触れないでおくつもりだった。

「浅見さん、何か気になっていることでもあるのですか？」

紅茶を入れながら、順子は目敏く気がついて、小首を傾げるようにして訊いた。

「はあ、漠然とですが、ちょっと気になることがあるのです」

「何かしら？」

「上島総業の後藤部長のことです」

「？……」

順子も横沢も浅見が何を言い出すのか――と、真剣な目を浅見の顔に注いだ。

「あの後藤部長には酒乱のヘキがあるのかなと、そのことが気になったのです」

「どういう意味です？」

横沢は順子と顔を見合わせてから、訊いた。

「今日、上島総業を訪ねて後藤氏に会ったのですが、見た感じではいかにもゴツイけれど、仕事熱心な商売人というイメージがありました。官庁や大手企業を相手に仕事をしているのだから、当然、気配りもしっかりしたビジネスマンだと思うのです。ところであの晩は、お得意先を招待したディナーパーティーだったということなのですよね。それなのに、なぜあんなに乱暴狼藉をはたらいたのか、ちょっと妙なことだと思ったものですからね」

「はあ……」

横沢はポカンと口を開けて、浅見のつぎの言葉を待った。順子も同じような顔をしている。

しかし、浅見はそれっきり黙りこくって、自分の考えに沈み込んでしまった。

「それがどうかしたのですか？」

たまらず、横沢は催促した。

「いえ、それだけです。ただ何となく、妙だなと思っただけです」

浅見は情けなさそうに言った。

「あの騒ぎのお蔭で、われわれにも後藤氏にも、それに、あのパーティーに参加していた上島総業の幹部全員にも、ちゃんとしたアリバイが保証されたわけですよね。ことに、騒ぎの張本人である後藤氏については、アリバイは万全です。それがかえって気になるのかもしれません」

「つまり、それはアリバイ工作ではないかいうことですか？」

「そう思いたくもなります」

「うーん……なるほど……しかし、現実にアリバイが保証されたのやからなあ……」

横沢は頭痛を払い除けるように、しきりに首を振った。

「どうでしょうか、あのミシガン号から、吉本氏のモーターボートに乗り移ることはできないものですかねえ？」

浅見は思いついたことを言った。

「もしそれが可能なら、後藤氏は吉本氏と協力して加賀さんを浮御堂に吊るして、何食わぬ顔で戻って来ればいいわけですが」

「まさか、なんぼなんでもそれは無理でっしゃろ。走っとる船からボートに乗り移るいうことは、相当に危険が伴いまっせ。それに、甲板や操舵室では船員が見張っておるでしょうしなあ」

「それはそうかもしれませんが、一瞬の盲点のようなものはないものでしょうか」

「一瞬の盲点いうても、浅見さんが言いたいのは、後藤氏がミシガン号からモーターボートに乗り移り、加賀さんを吊るして、また戻って来るいうわけでしょうが。なんぼモーターボートが早いいうても、一瞬いうわけにはいきまへんで」

「どのくらいの時間がかかりますか？」

「そら、場所にもよりけりやが……堅田の沖合なら、往復五分もあればＯＫかもしれんけど……しかし、そうそう、うまいことタイミングが計れますかなあ？　外は真っ暗やし、どこを走っておるのか、分らないのとちがうやろか？　それとも、何ぞ目印でもあるのかな？」

否定しながら、横沢も浅見の疑問に気持ちが傾斜しつつある。

「うーん……かりに事件現場近くに目印があったとしても、そこでうまいこと乗り移るいうのんが、どうも無理なように思いますがなあ」

「そうですよ、そんなの絶対に無理ですよ」

順子も首を横に振った。

「あの船、外輪船でのろいようですけど、けっこう早く走っていますもの。そんなサーカスみたいなトリックは無理だと思います」

「そうでしょうかねえ……」

浅見は残念でならない。

「もっとも、それが簡単にできるようだったら、ちっともアリバイにはなりませんからねえ。しかし、逆に言えば、それだけに何か方法があれば、あざやかな完全犯罪を成功させる手段になるわけです……そう、手品の仕掛けなんて、本来、一見不可能に見える作業を、ちょっとした盲点を利用して、やってのけるテクニックでしょう。今度の事件だって、われわれの盲点になっている何かがあるのかもしれませんよ」

浅見はミシガン号の船体と内部の風景を、しきりに思い描いた。

「もう一度、乗ってみます」

浅見は結論を宣言するように言った。

「乗る言うて、あの船にでっか？」

横沢が呆れたように言った。

「ええ、もう一度ミシガン号に乗ってみて、何か方法がないか、つきとめてみることにします。もしその方法が発見できれば、現実問題として、後藤氏はモーターボートに足跡を残しているのですからね、充分、追及ができるはずです」

「うーん、なるほど……よっしゃ、そしたら、わしも乗りましょう」

横沢が言った。

「私も」

順子も勢い込んで言った。三人の目がたがいに交錯して、それから、ほとんど同時に、意味もなく笑い出した。

2

「ミシガン号」は五割程度の客を乗せて、暮れなずむ浜大津(はまおおつ)を出港した。浅見も順子も時計と睨めっこをしていたが、予定時刻より遅れている。ＪＲのダイヤのように正確ではなさそうだ。考えてみると、日の長さは季節によって変わるわけで、そうそう厳密に時刻を守る必要はないのかもしれない。

だとすると、横沢の指摘したタイミングの取り方はますます難しいことになる。食事をしたり、客と歓談しながら、モーターボートと接触する時刻をきちんと見極めるのは、至難のわざというべきだろう。早くから甲板をウロウロしていれば、人目につきやすいし、かといって、ボートが長いこと船にくっついて走っていれば、なおさら目立っていけないはずである。

出発時刻の遅れに関係なく、船の上のサービスは、先夜と同じようなペースで運んでいる様子であった。アメリカ人の陽気な若者たちによる接待は気分がいい。横沢などは、肝心の仕事のほうはそっちのけで、よく食い、よく飲んだ。高い乗船料を払った分、しっかり取り返そうという魂胆のようだ。

琵琶湖は夜のとばりの中に沈み込んだ。そうなると、船内が明るいだけに、遠くの湖岸の明かりなど、よほどよく注意して見ないかぎり、判別がつかない。キャビンの中にいては、どこを走っているのか、正確な位置を摑むことはできそうになかった。

ただし、ガイドのアナウンスによって、坂本、雄琵付近——といった、おおまかな位置関係を推測することは可能のようだ。デザートのメロンを食べ、そのあとコーヒーを啜っていると、やがて例のボート遭難四高生を偲ぶ哀歌が流れてきた。

波に暮れゆく　竹生島
三井の晩鐘　音絶えて
なにすすり泣く　浜千鳥……

「あら？……」

ふいに順子が、小さく叫んだ。

「停まっているわ……」

「あ、ほんとだ、停まっている」

浅見もすぐに気がついた。エンジンの音は響いているけれど、振動と揺れが極端に小さくなっている。どうやら、船は停止している気配であった。

「え？　なに？　何がどないしたって？」

横沢は感じなかったらしい。いや、順子にしても浅見にしても、外の様子に細心の注意を払っていたから、たまたま感じることができただけで、ふつうに歓談したり、アルコールの入った連中には、停船していることなど、まったく分からないにちがいない。

そのうちに、左舷方向の窓に客たちが集まった。何か船の外で始まったらしい。浅見は急いで席を立って行って、左舷の窓に顔を寄せて、外を覗いた。順子も横沢もそれに倣った。

驚いたことに、船の外に、もう一隻の小型船が接舷している。そして、こちらから向こうへ、アメリカ青年の男女が乗り移り、食器などをさかんに積み込んでいた。船の乗組員たちのほとんどが左舷に集まって、作業をしている様子だ。

浅見はふと思いついて、反転して右舷の様子を見に行った。キャビンを出て甲板に立つと、思ったとおり、左舷とは対照的に人っ子ひとりいない。

「盲点だ……」

浅見は思わず叫んだ。下甲板は水面上、わずか三十センチ程度の高さである。そこにモーターボートを接舷すれば、容易に乗り移ることは可能なのだ。しかも、乗員、乗客の関心はすべて左舷に集中している。

順子と横沢にそのことを知らせようと、キャビンに入ったとき、浅見の耳に、またしてもあの哀歌が聞こえた。

君は湖の子　かねてより
覚悟の胸の　波まくら
小松ケ原の　紅椿

歌はまだ続いていた。客たちの多くはテーブルについているが、席を離れた者は全員、左舷での積み込み作業を眺めているらしい。

その間、反対側の右舷に関心を払う者は一人もいない。もっとも、右舷は湖水の中央に向いていて、真っ暗な湖面を眺めても仕方がないことはたしかだ。

乗員の関心は、むろん左舷の作業に集まっている。これなら、キャビンの窓からは死角にあたる船尾近くの下甲板に、モーターボートがひそかに接舷しても、たぶん気づく者はいないだろう。

浅見は二人の仲間にそのことを告げた。二人もそれを確認した。それから時計を見て、船が動きだすのを待った。

かっきり十五分間の停船であった。その間、ガイド嬢の解説を挟んで、琵琶湖哀歌は二度、流された。悲しいメロディーが暗い湖面をどこまでもたゆとうてゆく。

「ひょっとすると……」

浅見は自分の思いつきにギョッとして、キャビンの従業員たちの指揮をとっている日本人のマネージャーに走り寄った。

「いまの哀歌ですが、毎日、決まったタイミングで流されるのじゃありませんか？」

いきなり質問をぶつけられて、マネージャーはびっくりしたが、すぐに笑顔をとりつくろって、「ほう、よくお気付きになりましたねえ」と言った。

「まさにおっしゃるとおりです。われわれ乗組員の大半は、あの歌を合図に迎えの船に乗り移るのですよ。厨房関係のほぼ全員とウェイターとウェイトレスの半分以上は、迎えの船でひと足先に帰ります。また、その際、すでに使用した什器(じゅうき)類も運ぶわけです」

「停船した場所ですが、堅田の沖合ではありませんか？」

「驚きましたねえ、それもおっしゃるとおりです。よくお分かりになりましたなあ」

マネージャーの賞賛に礼を言って、浅見はテーブルに戻った。

「これで脱出のトリックは解決しましたね」

密談をするように、グッと顔を寄せた横沢と順子に、浅見はそう言った。

「後藤氏はあの哀歌が聞こえてくるのと同時に行動を起こしたのですね。誰もいなくなった右舷甲板に出る。少し離れたところで待機しているボートが、それを見て接舷し乗り移る。ほとんど一瞬の出来事でしょう」

「すると、やっぱり、後藤氏が犯人というわけですか」

「まず間違いないでしょうね。しかし、状況証拠はあるけれど、物証があるかどうか……それが心配です」

「なに、それはなんとかなるやろ、思いますよ。浅見さんが言うたように、ボートには後藤の足跡が残っておりますよってな。それを克明に調べ直せばよろしいでしょう」

「うまくいくといいですけどねえ」

浅見は内心、少なからず危惧した。その唯一の「証拠」が万全に保存されているかどうかも、気になった。かりに保存状態がよくても、はたしてどれだけの証拠能力が期待できるものか——。

「何か、決定的な動かぬ証拠を摑めないものかしら？　ほら、遠山の金さんみたいに」

順子が女性らしい感想を述べて、二人の男は失笑しかけた。いや、横沢は無遠慮に「あはは」と笑ったが、浅見のほうは、途中で思い留まった。

「なるほど、遠山の金さんですか。いまふうに言えば、オトリ捜査による現行犯逮捕ということになりますね」

「いやですよ、そんなふうに真面目に考えないでください。ただのばかげた思いつきですから」

順子はかえって顔を赤くして笑った。

「いえ、笑いごとでなく、何かそういう方法があればいいですね」

「まさか……浅見さん、けったいなことは考えんといてくださいよ」

横沢は勘よく、浅見の思考が危険な方向に向かうのを牽制した。しかし、浅見は新しい針路を発見した船長のように、真っ暗な湖面を見つめつづけた。

3

彦根に戻ると、相川が苛々して待っていた。

「ずいぶん遅かったやないか、広岡夫人と一緒やったのか？」

「ああ、もちろんだ」と、浅見は相川の不満そうな顔を見て、ニヤニヤ笑いながら言った。「横沢部長刑事どののコブつきだけどな」

「そうか、あのダンナもお邪魔虫やな」

相川は嬉しそうに言って、

「そうや、忘れとったけど、浅見に何回も電話が入っとった。ほら例の森史絵さんだよ。浅見にはあの子がピッタリやな」

「冗談言うなよ、彼女は十以上歳下じゃないか」

「愛があれば歳の差なんか――やろ」

「うるさいな、それより、用件は何だい？」

「いや、おれには言わんのや。浅見さんに直接お話ししたいのやと。電話番号はそこに書いてある」

少し遅い時刻だが、浅見は気になって電話をかけてみた。

森史絵は電話の前でずっと待機していたような素早さで、電話に出た。

「あ、浅見さん、史絵です」

「きょう、私、加賀さんのお宅に行ったんです」

はずむような声で言った。

「ほうっ……」

浅見はがぜん、期待感で胸が膨らんだ。

「それで、加賀さんの奥さん——未亡人といろいろお話ししたんですけど、すっかり仲良くなって……あの、加賀さんにはお子さんがいらっしゃらないんですよね。それでもって、私がお訪ねしたの、とても喜んでくださって。三鷹の牟礼っていうところなんですけど、緑がいっぱいあって、すっごく静かなんです……」

浅見は史絵の饒舌に、辛抱づよく堪えた。

「……それで、奥さんが日記を見せてくださったんです」

「日記を？……」

「ええ、加賀さんがお書きになった日記です。広岡さんのことが話題になったら、あら、ご存知なのっておっしゃって、広岡さんのことが書いてある部分を、見せてくださったんです。加賀さんは私と会った日……つまり、加賀さんが殺された日の十日ばかり前にも琵琶湖に行って、広岡さんと会っているんですね」

「そうですよ、会っています。それで、そのことについて何を書いているんですか？」

浅見もさすがに、その先を急かせた。

「広岡さんと琵琶湖の将来について話したのだそうです。それから、自分はもう若くないから、これからのことを広岡の息子に託しておこうとか、そういうことが書いてありました」

「なるほど、そこのところ、もっと詳しく分かりませんか？　何を託すのかとか」

「ええ、それで、私も何か浅見さんのお役に立つことがないかって思って、しつこく見せていただいたのですけど、その中に『密約のことについて、広岡君に話した』という文章がありました」

「密約……」

「ええ、何の密約なのか分かりませんけど、すごいものを発見したなって思ったんです。それで、最後の日のところも見せていただいたのですけど、そこには広岡さんが死んだことについて、疑惑に満ちた文章が綴られているんです。自殺するなんて信じられないとか、私が彼に秘密を明かしたのが、原因ではないのだろうかとか、責任を感じるとか、とにかくすっごくショックだったみたいです」

浅見にも加賀老人のショックが伝染したように、口が強張って何も言えなくなった。

「浅見さん、聞いてますか？　浅見さん……」

「ああ、聞いてますよ」

浅見はかろうじて言って、「どうもありがとう、明日、僕も東京へ行きます」と電話を切った。電話のむこうで、史絵が「嬉しい……」と言いかけたのを、半分しか聞かなかった。

大津署にある特別捜査本部とは別に、滋賀県警察本部の中に特捜班が設置されたのは、それから二日後のことである。スタッフは県警内でもとくに政治・経済事犯に精通したメンバー五名で構成した。

ほかに二名、警察庁から特派された精鋭が参加した。この特捜班の設置は浅見刑事局長のお声がかりである。本部長以外の県警幹部は、なぜこうなったのかよく分からないまま、中央からの指示に従った。まして、所轄署の末端にいる矢代や横沢にとって、例の「けったいなルポライター」がこの新事態の糸を引く人物だなどとは、まったく思いもよらない話であった。

特捜班は密かに行動して、上島総業をめぐる疑惑について内偵を進めた。加賀、広岡両家の遺族の協力を得て、ほとんど家宅捜索に近い「遺品」調べを行なった。その結果、ウェストレイクパークランド再開発にまつわる不正事件の存在が発覚した。

ウェストレイクパークランドは十年ほど前から開発と建設が進められたのだが、住民による反対運動に阻止されたのと、推進派の中心人物であった県知事の急死、それにつづく上島総業会長上島俊次郎の病気によって、事業継続不能に陥った。

その煽りを食らって、滋賀県県政までおかしくなってしまったほどの騒ぎであった。

本来なら、上島総業も一蓮托生で、とうの昔に倒産していなければならないはずなのに、なぜかそうはならなかった。その理由は、背後に巨大資本があるためである。

事業は挫折して、敷地を含む膨大なウェストレイクパークランドの資産は、債権者である金融機関によって凍結されてはいるものの、それに見合うだけの資本が導入されれば、ウェストレイクパークランドの構想は、いつでも再浮上の可能性を秘めている。

問題はむしろ、地元の反対運動と環境行政とのせめぎあいにあった。

近畿地方の水源である琵琶湖の汚染は、行きつくところまで行ってしまった観がある。新たにリゾート施設を建設するにあたっては、ほぼ百パーセントの汚水処理が可能な浄化施設のあることが第一条件である。

大津プリンスホテルが、非常識とも思えるほどの広大な敷地を必要としたのは、じつにこの浄化施設のためであったといわれる。

いま、湖西地区にウェストレイクパークランドほどの大型リゾート施設を作ろうとしても、それに見合う浄化施設を展開すべき余地がない――はずであった。

ところが、加賀の自宅にあったマル秘文書によると、ウェストレイクパークランドがその施設を完備し、新リゾート法の規制ラインをクリアーすることが約束されるような、根回しが進行しつつあることを窺わせる。それは上島総業と加賀が所属していた大手建設会社とのあいだに交わされた密約であり、そこには上島がかつて代議士であったコネによって複数の大物政治家が介在していた。

あとは関係省庁が許認可の書類を交付し、巨大資本による資金調達が行われれば、いつでもゴーサインが出される状態にあった。

しかも、表面上の事業主体は上島総業ということになっている。たとえ地元の反対運動が起きようと、叩かれるのはダミーの上島総業であって、巨大資本の企業イメージに傷がつくことはないわけだ。そうして、事業が軌道に乗りだした時点で、巨大資本がそのヴェールを脱げばいい。

加賀義雄と広岡友雄がそれを阻止するために動こうとしていたことは、容易に推測できる。

そこまでのデータは、比較的早い時期に、警察庁刑事局長である浅見陽一郎に報告された。陽一郎は自宅の書斎に弟を呼び、差し障りのない範囲内で、状況説明をした。差し障りのない――

というのは、刑事事件の部分ではという意味である。政治家や官僚が関与している部分については、その個人名など、たとえ弟といえども、陽一郎はリークするようなことはしない。

「なるほど、加賀さんと広岡さんが消された動機は分かりました」

浅見は憮然として言った。

「それで、兄さんの判断としては、警察や検察はどこまで立件が可能だと考えているのですか？」

「私は刑事の範囲内のことしか権限が及ばないよ」

刑事局長は、いくぶん冷ややかに聞こえる口調で言った。

「つまり、殺人事件に関してのみ——というわけですか」

「まあ、そう思ってもらったほうがいい」

「背後に政治家や資本が動いている点については、まったく看過してしまうのですか」

「結論から言えばそうなる。いや、たとえ立件したくても、現実問題として、難しいだろうね。犯罪が行われたという事実関係は存在しないごとくにできているのだから」

「…………」

「ただし、開発と建設計画を阻止することは可能だよ」

陽一郎は、黙りこくってしまった弟を、宥めるように、優しく言った。

「その警告を与える程度の権限は、警察庁といえども、保持している。それで、もって瞑すべし——といったところだな」

「スケープゴートは、上島総業の土木部長ただ一人ということですか」

「いや、ヤツは殺人および死体遺棄だから論外だよ。むしろ、スケープゴートということなら、上島総業社長だろうね。上島が自分をどう処するか、それによって事件の収束のあり方が変わってくる。下手にジタバタすれば、ことは政界の中枢にも及びかねない」

「兄さんは」と、浅見は白皙（はくせき）の兄の横顔に向かって言った。

「上島が死ぬことを望んでいるのですか？」

「ん？」

陽一郎はエリート特有の皮肉な笑みを浮かべ、ほんの一瞬、弟に視線を送って、「ふふふ……」と唇の先から息を洩らした。

「お願いがあるのですが」

「うん」

「上島社長に会います。それまで、捜査を控えさせておいてくれませんか」

「ふーん……上島に会ってどうする？」

「彼が自らを処する前に、一つだけ、確かめておきたいことがあるのです」

「何だい、それは？」

しかし、浅見は兄の質問には答えなかった。

4

真夏の琵琶湖は、瀬戸内の海のように眩しい。しかし、標高八十五メートル、面積六百七十四平方キロメートルの日本最大のこの湖は、天然のクーラーとして、絶え間ない爽風を湖岸に送ってくれる。

上島総業の七階にある役員専用の応接室からは、浜大津港を中心に、もっとも繁華な湖岸の風景が一望できた。

何かの催しでもあるのだろうか、無数のヨットが南風をいっぱいにはらんで、競いあうように沖へ向かって行く。その行く手はるかに琵琶湖大橋が白鳥のような曲線を見せている。

こうして眺めていると、人間どものあくことない汚染にも冒瀆にも耐えて、琵琶湖はかぎりない恩恵を与えつづけてくれるかに思える。その錯覚が、いっそう、この母なる近江の海を貶めることになるのかもしれない。

「お待たせしました」

背後で声がした。深みのあるバリトンであった。

振り返った浅見の目の前に、上品な銀髪の紳士が立っていた。背は浅見よりいくぶん低いが、彼の年代としてはかなり大柄なほうだろう。

細かい縦織りのストライプが入った、白に近いブルーのサマースーツ。濃紺地にわずかに赤の斜線をほどこしたネクタイ。着る人間によっては、それこそヤクザがかって見られかねない服装だが、紳士はどこまでも紳士然と着こなしていた。

「上島です、こいつは私の息子。肩書は常務取締役だが、目下運転手代わりにこき使っております」

上島は斜め後ろに従えた、一見、秘書かと思える屈強な青年を振り返った。

青年はいくぶん敵意のようなものを感じさせる目付きで、軽く会釈した。浅見とほぼ同年代だ。そう言われてみると、どことなく上島の面影がある。

「さあ、どうぞお掛けください」

言いながら、上島は自ら正面の革張りの肘掛け椅子に座り、背後の青年に「行っていいよ」と軽く手を上げた。

青年はかすかに危惧の念を見せて、チラッと浅見に視線を送ってから、黙って一礼すると、音もなく部屋を出て行った。

「四高生のボート遭難事件について、取材なさっておられるそうですな」

浅見が受付で渡した名刺を玩びながら、上島は言った。

「ええ、そうです。上島社長さんが、当時の状況について、詳しくご存じだとうかがいましたので」

「ほう、どなたにお聞きになったのかな？」

「加賀さんです、加賀義雄さん」

浅見はきわめて穏やかな口調だったにもかかわらず、上島は眉をひそめ、険しい表情になった。頬から顎にかけての筋肉が、かすかに痙攣したように見えた。

しかし、それはほんの一瞬のことで、すぐに穏和な笑顔を取り戻した。驚異的な自己抑制力の持ち主らしい。

「なるほど、加賀君のお知り合いでしたか。彼もああいうことになって、気の毒としか言いようがないが……」

上島は祈るように瞑目した。額のあたりに浮かんだ沈痛な翳りは本物かどうか、浅見はじっと目を凝らした。

「広岡さんと加賀さんと上島さんは、当時、大津中学の同級生だったそうですね」

「そのとおりです」

「加賀さんは、いまにして思うと、なぜあんなばかなことをしたのか、自分でも理解できないとおっしゃっていました」

「ん？……」

上島は目を細めて、浅見の顔をじっと見つめた。（この男、どこまで真相を知っているのか――）という目であった。

浅見はその視線によく耐えた。こっちの感情の動きを止めて、思考を空っぽに見せ掛けるような、乾いた目の表情を演じた。

長い時間が経過した。

浅見はいくらでも耐えつづける自信があった。

先に表情を崩したのは、百戦錬磨であるはずの上島であった。事実の重みが彼をして屈伏させたにちがいない。

「あの、勘違いなさらないでください」

浅見は上島の背けた視線を追い掛けるように、言った。

「僕はその事故の真相を取材して発表しようというわけではないのです。ただ、事実関係が加賀さんのおっしゃったとおりなのかどうか、それについて、上島さんがどう考えておられるのか、それを確かめたくてお邪魔しただけなのです」

「確かめて、どうします？」

視線を逸らしたまま、上島は言った。

「確かめて……そうですね、加賀さんや広岡さんの、琵琶湖を愛した気持ちを偲ぶことにしましょう」

「…………」

上島は黙って、ゆっくりとこうべを巡らせて浅見を見た。

浅見は窓の向こうに広がる琵琶湖を、懐旧の情の籠もる眼で眺めた。自分の知らない「むかし」に想いを馳せると、演じるまでもなく、哀しみの色が顔を染める。

「捜査は」と、上島はポツリと言った。浅見の気持ちを「いま」に引き戻す、無機質な口調だった。

「捜査はどの辺まで進みましたかね？」

「すでに核心まで達したようです」

「ほほう……」

浅見の平然とした答え方に、上島は驚き、口をすぼめるようにして笑った。

「ほっほ、浅見さん、あなたは動じないひとですなあ」

「そんなことはありません、僕は臆病な人間です」

「いや、だとすればそれは臆病ではなく、細心と呼ぶべきものでしょう。とにかく近頃めずらしい、胆の据わった人物に会いました。お兄上に勝るとも劣らない資質をお持ちのようだ……いや、浅見刑事局長のことは調べさせていただきましたがね、それを持ち出しても、いっこうに動じる気配を見せないのですから感心しました」

上島は笑顔で言って、言葉を切り、一転、厳しい表情になった。

「で、警察はどうするつもりなのか、お聞きになってはいませんかな？」

「詳しいことは知りませんが、たぶん、あなた次第でしょう」

「私次第……ですか」

上島は苦笑した。

「ええ、刑事事件のほうは徹底的にやるでしょうけれど、それ以上は──という意味のようです。さらにことを荒立てれば、国家の中枢に影響を及ぼしかねません。それに、こちらの会社が瓦解するようなことにでもなれば、また新たな被害者が出るばかりです」

「なるほど、それについては条件がある……つまりそういうことですな」

「条件というのとは、それは違うと思いますが」

「いや、私の側からの条件と言ってもよろしい。いずれにしても、羊にできることは、高が知れているのです」

上島は含み笑いをしたが、目には怒りの色を帯びていた。

「四高生のボートを沈めたのは、私なのですよ」

唐突に、上島は言った。

「加賀も広岡も一緒だったが、音頭を取ったのはこの私です」

遠い過去をまさぐる目で、浅見の肩越しに琵琶湖を見つめた。

「われわれ三人は京都の三高の熱烈なファンでしてね。ライバルである四高クルーが憎らしくてならなかった。まったく、加賀君の言ったとおり、いま考えるとばかげた話です。あの日、長浜から遠漕して帰る四高のボートに、ほんのちょっとしたいたずらのつもりで、舵の部分に細工を施しておいたのです。よもや、この琵琶湖で遭難事故が起こるなどとは、想像もしませんでした。波が立つといっても知れたものだし、どこを走っていても、湖岸は文字どおり指呼の距離ですからな。ところが、それでも遭難事故は起きた。あの日の比良おろしは異常でした。湖面には三角波が立った。真冬に戻ったような凍りつく強風が吹き荒れました。しかし、遭難のニュースを聞いても、現実に死体を見るまで、われわれは信じられない気持ちでした」

上島は吐息をついた。その出来事は、思い出すたびに、つい昨日のことのように、生々しく甦り、胸を衝く様子だった。

「遭難の原因が舵の故障であったという発表はありませんでした。直接の原因はボートの沈没なのだから、それは当然かもしれませんな。だが、われわれ三人は真相を知っていた。知っていたが、ついに口を噤んだままでした。いつか歳月とともに、人々もわれわれも悲劇を忘れるだろうと、ひたすら秘密を隠し通したのですよ。戦争犯罪でさえ、忘れ去られるものですからな。時が流れ、人が去って行けば、記憶はいつか消えるはずだと思うことにしたのです。だがしかし、変わらぬものが目の前にあった。琵琶湖はどこへも行くことなく、われわれに遠い日のことを語りかけてくるのです。やがて歌が生まれ、レコードまで売られるようになった。遊覧船が哀歌を流しながら通るたびに、私は耳を覆った……いまもそうです。死ぬまで悔恨はつきまとうでしょうな」

上島は言葉をとめると、また大きく溜め息をついた。

「昭和二十年に、私は学徒出陣で戦争に行きましたが、死なずに戻りました。満員の引き揚げ列車が京都を過ぎ、逢坂山トンネルを抜けて、紺碧に広がる琵琶湖が見えたとき、私は声を上げて泣きました。いや、私だけではない、滋賀県出身の兵隊たちは、みな泣きましたなあ。そうして、泣きながら大津の駅にゾロゾロ下りたのです」

上島は当時を偲ぶように天井を見上げた。しばらくそうしていたのは、溢れるものを堪えるためだったのかもしれない。

「私の帰還を、広岡と加賀が迎えてくれました。生き残ったことが罪悪のような、つらい再会でしたよ。その晩、三人はボートを漕ぎ出して、湖の上で誓ったのです。与えられたいのちを琵琶湖のために捧げよう、とね。広岡はジャーナリズム、加賀と私は建設関係へと、それぞれの方向へ進みましたが、心はいつも琵琶湖にありました。

私は父親の事業を扶けて、生涯を琵琶湖の開発に捧げるつもりでした。開発することで、贖罪の証にしようと思ったのです。だが、ことはそう簡単なものではなかった。開発を進めれば進めるほど、琵琶湖を穢すことになるなどと、浅はかながら、思いもよらないことでした。

弁解するわけではないが、終戦直後から昭和三十年代にかけての当時は、開発や建設は最大の美徳であったのです。私の父は敗戦の悔しさをぶつけるようにして、ほとんど蛮勇といってもいいような猛烈さで事業を興し、私を含めた社の幹部連中を叱咤激励して際限のない発展を目指した。会社は大きくなり、日本中がそうであったように、われわれの生活は向上したけれど、気がついたときには、わが愛する琵琶湖は汚染が始まっていました。しかし、猛スピードで走っている船が停まれないように、行き足のついた事業は走りつづけるほかはありませんでしたよ。あなた方のような若い人には理解できないかもしれないが、国の政治から末端に到るまで、そういう仕組みになっていたと思ってください。

　ほんのいたずらのつもりでしたことが、取り返しのつかない事故に繋がったように、本来ほとんど悪意などなかった事業によって、琵琶湖は死にかけてしまったのです。それなのに、愚かなことだが、われわれは、この営みを止めることができない。わらうかもしれないが、ここでの出来事はほんの一例でしかありませんよ。水源地にあるゴルフ場に農薬を散布しつづけることも、フロンガスを使いつづけることも、人間はいっこうに止めようとしないのです。そう、死ぬまで止めることができないのでしょうかねえ」

上島は力なく笑った。

「わが社も自分の意志だけでは、どうにもならないところまで来てしまっているのです。もはや私が号令してストップをかけようとしても、会社や重役連中たちは言うことをききません。所詮、ボンボンのたわごとくらいにしか思っていないのでしょうな。むしろ、病床にある父親——会長の意向に忠実であろうとする。会長は積極派です。年齢はすでに八十六歳、半身不随の身だというのに、意欲だけは旺盛なものがあります。壮大な計画だったウェストレイクパークランドの構想の実現を見ないうちは死なないと、相変わらず叱咤激励です。

しかし、現実はきびしいのです。パークランド計画をゴリ押しすれば、琵琶湖の汚染は一挙に進行するでしょう。それでもよしとするのは、大企業、大資本のエゴ以外の何物でもありません。そして、残念ながらその大企業のお先棒を担ぎたがる人間が、わが社にもおる。大企業や政界と結んで、自分のための暴利をもくろむ人間です。それが分かっていても、私は——会社は彼を排除することができない。彼を排除することは、つまりは上島総業と大企業や政界とのパイプを絶ち、自らの会社生命を絶つことを意味するからです。重役連中や社員たちが、自分たちの保身を考えているかぎり、役所のゴーサインが出れば、事業計画は進行されるでしょう。

四高生ボート遭難五十周年の日に、加賀は私に、わが社と彼の会社との間に取り交わされた密約の事実をつきつけ、私の善処を求めてきました。すでに広岡君にもその秘密を洩らし、事業計画を破棄しなければ『琵琶湖の水を守る会』を通じて、暴露することも辞さないというのです。私は驚き、関係役員を呼んで真偽のほどを確かめました。ところが、全員が一様に、そんな密約は存在しないと否定するのですな。私自身、何かの誤解ではないかと思ったほどでした。ところが、事態は最悪の方向に向かっていたのです。広岡の息子さんと加賀が、あいついで不審な死に方をしたとき、私は震え上がりました。これは誰の責任でも誰の罪でもない、ひとえに私の怠慢と怯懦がなせる犯罪です」

一気に話し終えると、上島は精根尽き果てたようにガックリ頭を垂れた。

それから長い無言の時が流れた。遠くで、ミシガン号の出港を告げるアナウンスが聞こえた。

「夜、そう、十時ごろがいいかな。もう一度ここに来てくれませんか」

上島はポツリと言った。

「裏口のドアを開けておきますから、勝手にこの部屋に入って、待っていてください」

それからニヤリと笑って、

「刑事を同行なさるのは、浅見さんのご自由です」

と言った。

その夜、彦根の末広亭に四人の「仲間」が集まった。順子の奢り（おご）で、上等のすき焼をふんだんに食べようという会である。

順子に広岡の保険金が下りたのだが、そのことは相川も横沢も知らない。最初に打ち明けられた浅見が、黙っていたほうがいいと忠告した。

すき焼が半分になったころ、浅見は今晩の「冒険」について話した。

「そりゃ、私も行ったほうがええに決まっとりますがな」

横沢部長刑事は言下に、肩を怒らせて、言った。

「当たり前や、おれも行く」

相川勇志も言い、順子も「そうですよ、あまりにも危険すぎますよ」と口を添えた。

「いや、僕は独りで行くつもりですよ」

浅見はビールを飲み干して、宣言した。

「上島さんの様子から見て、危険を予感させるような気配は何もありませんでした」

「いや、そら甘いですなあ。上島は海千山千の、したたかなワルとして名が通っておる男でっせ。ヤクザと喧嘩しても負けてないいうほどのヤッちゃ」

横沢は鼻の頭を真っ赤にして力説した。

「それに、浅見さんの話やと、裏口からこっそり入れいうようなことを、言うとったのでしょうが。そらあかんわ、目撃者もおらん状態で、何をされるか分からしまへんで」

「それじゃ、こうしましょう」

浅見は妥協案を出すことにした。

「二十分間だけ待っていてください。二十分待って、僕がビルから現れなかったら、機動隊を繰り出しても結構です」

「アホなことを……冗談言うとる場合やないと思うがなあ」

横沢は慨嘆したが、浅見の意志が動かないことを悟ったらしく、沈黙した。

最後まで浅見の身を案じたのは順子だった。しつこいほど、思いとどまるように進言して、しまいには涙ぐみさえした。

それを見て、相川が正直に不安そうな顔をするのに気付いて、浅見はおかしかった。

「大丈夫ですよ、僕だって死にたくはないですからね、無謀なことはしません」

「それじゃ、何か安心できる根拠でもあるとおっしゃるの？」

「ええ、まあ……」

「何ですの、それは？」

「それは、たぶん勘……ですかねえ」

「勘？　……そんなもので安心できるはずがないでしょう」

「そんなことはありませんよ、僕はときには、冷静な計算よりも、勘のほうが信頼できると思っています。現に、奥さんや横沢さんが広岡さんの自殺に疑問を感じたのだって、勘によっているじゃありませんか」

「それとこれとはわけが違います」

「まあ、とにかく任せておいてください。これ以上は何を言ってもむだです」

浅見は真顔で言って、議論を打ち切った。

人気のない夜中のビルは不気味なものである。背後のオフィス街にも人通りがなかった。さすがに、いざとなると、浅見も尻込みしたい気分であった。

ドアは開いていた。安手のホラー映画などで、どうしてあんな危険な建物に入って行くのだろう?……と、ばかばかしくなるようなストーリーがあるけれど、いま自分がやろうとしていることは、それと同じ次元の間抜けな行為なのだ——と浅見は思った。

エレベーターは一基だけ動いていた。七階までノンストップで昇る。

冷房も入っているのか、空気はこころなしかひんやりして、背筋を冷たくさせる。

応接室に入って、ソファーに腰を下ろした。窓には厚手のカーテンが閉じられていて、夜の風景は見えない。

ビルに入ってから、一分が経過した。

ドアが開いた。上島と後藤が入ってきた。

「昼間はどうも」

上島は軽く挨拶して、浅見が立とうとするのを制し、座った。後藤は窓を背にする椅子に腰掛けた。

「後藤君はすでにご存じかと思うので、紹介は抜きにさせてもらいますよ」

上島は言って、

「早速だが、浅見さんの推理を聞かせていただきますかな」

と浅見を促した。まるで、当方に二十分しか時間的余裕のない事情を、察知しているかのように思えた。

浅見もごく手短に、広岡友雄と加賀義雄、それに吉本浩が殺された事件についての推理を述べた。

ミシガン号からの脱出トリックを説明したときには、上島は「ほほう」と感嘆の声さえ発していた。

「で、その犯人は何者と考えているのですかな?」

「もちろん、後藤さんをおいては、ほかにいないでしょう」

「ばかばかしい!」

後藤がはじめて言葉を挟んだ。

「勝手な推理ばかり言うて、何も証拠がないやないか」

「証拠は警察がその気になれば、いくらでも出てくるものですよ。たとえば、後藤さんはモーターボートに足跡を残しているじゃありませんか。それも、吉本さんの足跡と上下に重なっているのは、後藤さんのものだけですから、事件当時、あのモーターボートに乗っていたことを否定するわけにはいかないと思いますよ」

「ふん、はったりもええかげんにするこっちゃな。かりにそういう証拠が上がっているのなら、とっくに警察がやって来ておらな、おかしいやないか」

「それは僕が抑えているからです」

「ほう、そりゃまた、ご親切なこっちゃ。そんなこと言うて、警察を呼んであるんとちがうかいな？」

　後藤は立って、カーテンの隙間から道路上を眺めた。

「それらしい気配はないようやな。社長、大丈夫でっせ」

「そうか……」

　上島は憂鬱そうに言った。

「しかし、浅見さんの推理については、きみは何も反論はないのか？」

「ああ、ありません。よう調べ、考えたもんや、思いますなあ。ルポライターなんぞはやめて、私立探偵にでもなっとったらよかったのになあ」

「ははは、そうかね、そんなにズバリ言い当てられたのかね。すると浅見さん、これでもう、あとは訊くことはありませんかな？」

「ひとつだけお訊きしたいことがあります」

　浅見は言った。

「広岡さんが殺された夜、後藤部長さんは広岡さんに呼ばれて行ったのですか？」

「ああ、そうや、話したいことがあるいうので、行ったのだ」

「広岡さんは何の用事だったのですか？」

「用事？　……ふん、そんなものはありはせんのや。広岡はわしを殺すつもりやったにちがいないな」

「殺す？……」

「ああ、そうや。わしにウェストレイクパークランドの開発を完全に放棄してくれと言いおったのやが、もし、わしがあかん言うたら殺す気やったのやろな」

「やはりそう思いましたか」

「ああ、最初からそんな気がした。あの男は正直やさかいに、すぐ分かる。あの日の三日ばかし前、わしをここに訪ねて来て、折り入って話がある言うて誘い出そうとしたのやが、そのときから、全身に殺意が表れておったものな。用件は『ウェストレイクパークランドの開発について話したい』いうようなことやったが、顔色が真っ青で、手がブルブル震えとった。

それで、そのときは、わしは忙しい言うて断ろう思うたのやが、もし話し合いに応じないのやったら、某政治家と建設会社との密約をバラす言うて脅しよった。そうまで言われれば、誰かて、これは刺しちがえて、自分も自殺する気やな——とピンとくるわな。あとで聞いたら、広岡は肺癌やったそうやから、やっぱりそうやったにちがいない。

それで、わしは了承した。広岡がそういう気ィならば、こっちもテキの誘いに乗ってやろうやないか——思うてな。そしたら、案の定、広岡はけったいな条件を指定してきよった。夜の九時ごろに自宅に来てくれ、それも一人で来るようにいうこっちゃ。おまけにカミさんまで外に出しておくいう、手回しのええこっちゃ。つまり、カミさんを共犯者にしたくないいう、優しい思いやりやろな」

後藤は「ケッケッ」というような声を出して、肩を揺すって笑った。

「広岡がちゃんとお膳立てしといてくれたのやから、こっちはあまり気ィつけんでも、誰にも見られずに行きさえすれば、完全犯罪は成立するいうわけや」

「それは分かりましたが、広岡さんがなぜそんなに性急に、あなたを殺そうとしたのか、それが理解できないのですが」

「それは私から説明しましょう」

上島が口を開いた。

「広岡さんはたぶん、ウェストレイクパークランドの建設が、近々、再開されるという情報を摑んだのでしょうな。それを阻止するために、当社側の最高実力者である後藤君を殺そうとしたのでしょう」

「なぜですか？　なぜ後藤さんが、社長のあなたを差し置いて最高実力者なのですか？」

「それは、後藤君は政財界の密約について、あまりにも知り尽くしておるからですよ。後藤君がその気になりさえすれば、滋賀県政はもちろん、日本の政治の中枢にもその影響が及ぶでしょうからな。第二のリクルート事件どころでないかもしれない」

「そうでしたか……」

浅見は暗澹として頷き、それから時計を見た。すでに十五分を経過しようとしていた。

「もうこれ以上はお聞きすることもありません。これで失礼します」

「まあ待ちいな、ここまで洗いざらい喋ってから、そう簡単に帰ってもろたら具合が悪いがな」

後藤は言いながら、脇の小テーブルの引き出しから拳銃を取り出し、いとも無造作に構えて浅見の頭を狙った。

「ガオッ！」というような轟音であった。硝煙のにおいが、鼻腔をくすぐった。

後藤は信じられない目で上島を見つめた。拳銃を持った手が胸を抑え、そこから血が噴き出していた。

「なんでやね？……」

それがダイイングメッセージであった。つぎの瞬間、後藤の肉体はガクッと崩れ落ちて、絨毯（じゅうたん）の上で物体と化した。

「見苦しい物をお見せしました」

上島は拳銃をポケットにしまいながら、ひきつった笑顔を見せた。

浅見は時計を見た。十九分になろうとしていた。

「もう行かなければなりません」

「そうですか、二十分間だけしか、ゆとりを作らなかったのですな」

上島は冷やかすように言った。

「はあ、昼に言ったとおり、僕は臆病者なのです」

浅見は「では」と言い、部屋を出た。

ビルを出て、ものの三十歩も行かないうちに、横沢の車が脇に停まった。

「銃声のような音が聞こえたもんで、いま踏み込もうと思っとったところでした」

浅見が助手席に乗りドアを閉めようとした寸前、かすかに銃声が聞こえてきた。

浅見は動きを止め、半開きのドアから夜空にそそり立つビルの、ただ一つだけついている明かりを見上げた。

車が走りだして、しばらくは二人とも無言であった。

「上島さんは、二十分しか余裕のなかったことを察知して、手っ取り早く話を進めてくれましたよ」

浅見は正面を向いたまま、言った。

「そうでっか、そら、大した男やったのですなあ」

横沢はハンドルを操作しながら、うんうんと頷いた。

「僕が部屋を出るとき、ハンカチを出していたから、たぶん僕の指紋を消してくれたのでしょう」

その作業を終えて、おれがビルを離れるまで、上島は拳銃の引き金を引かなかったのだ——と思い、そう思ったとたん、浅見は涙があふれてきた。

エピローグ

上島ビルで起きた惨劇は、大津市民を震撼させた。ただし、それは上島総業のことをよく知る市民だからこそ、であって、他の地方の一般人にはありふれた死亡「事故」でしかなかった。

その翌日の全国ニュースは、「拳銃の暴発事故」としてこの事件を報じている。

――昨夜おそく、大津市西大津にある上島総業のビルで銃声がしたという一一〇番通報があり、大津警察署で調べたところ、同ビル七階応接室で上島総業社長の上島俊三さん六十四歳と、同社土木部長の後藤武彦さん四十八歳が血塗れになって倒れて、すでに死亡していました。

警察のこれまでの調べによりますと、二人は同じ拳銃から発射された弾丸によって胸部を撃たれており、ほぼ即死状態でした。

現場に上島さんが書いたものと思われる遺書があり、それによりますと、拳銃を玩んでいるうちに暴発した弾丸が後藤さんの胸部に命中したものと考えられ、それに責任を感じた上島さんが自殺した模様です。

昼近く、浅見たち四人は大津駅前に集まっている。東京から来る加賀未亡人と森史絵を迎えるためである。

駅の構内はうだるような暑さで、甲子園へ向かう応援の人波が、ひっきりなしに改札口に流れて行く。

待合室で、四人は思い思いに新聞を広げ、ほとんど同じような内容の記事を回し読みした。

「加賀さんの、三十日と重なったなんて、なんだか不気味なめぐり合わせですね」

浅見は肩をすくめた。

「天網カイカイいうやっちゃなあ」

横沢は無理に威勢よく言った。どうしても沈みがちになる雰囲気を、なんとか掻き立てようとしているのだ。

「天網カイカイかもしれんけど、なんや、やりきれん気持ちですなあ」

相川は新聞を邪険に畳んで、屑籠に放り込んだ。

「そう言われると、僕が余計なことをしたような気がしてくるよ」

浅見は苦笑しながら言った。

「いや、そういうわけやないけど……しかし、これではたしてよかったものかどうか、分からんなあ」

「よかったに決まってます」

順子が断定した。

「それどころか、これ以外にはない、もっとも望ましいジ・エンドですよ。もしかしたら、浅見さんはこうなることが分かっていらして、あの夜、独りで乗り込んだのではありませんか？　私はそんな気がしてなりませんけれど」

順子の涼やかな瞳に見つめられて、浅見は思わず顔を赤くした。

「あ、列車が入りますよ」

照れ隠しに言うと、三人に背を向けて歩きだした。

賑やかな集団が列車に消えると、ホームに取り残されたように、加賀末亡人と史絵が佇んでいた。史絵が四人に気付いて、背伸びをしながら大きく手を振った。

「浅見さーん……」

遠慮のない甲高い声が、熱した屋根にこだました。

「琵琶湖哀歌」（奥野椰子夫・作詞／菊地博・作曲）
日本音楽著作権協会（出）許諾第9250827-307号

自作解説

不思議な巡り合わせというべきだろうか。この「解説」を書き始めようとする直前、たまたま点けたテレビのニュースで、琵琶湖畔に建つ「幽霊ビル」の爆破解体作業を報じていた。わが国では最初——ということで、前夜来の泊まり込みを含めて何万だかの野次馬の見守る中、わずか十秒足らずのうちに、幽霊ビルは煙とともに崩壊した。

本書『琵琶湖周航殺人歌』の「主役」は琵琶湖だが、環境汚染で病める琵琶湖の象徴的な存在として、湖岸に聳える「ウェストレイクパーク」のホテルビルを描いている。じつは、このホテルビルのモデルが、幽霊ビルそのものなのである。

琵琶湖の取材は平成元年の夏に行なった。毎度のことだが、取材に出掛けるからといって、何をどのように書くか——を想定しているわけではない。とりあえず現地に行ってみれば、何かにぶつかるかもしれない——といった、文字どおりの行き当たりばったりである。正直なところ、

『琵琶湖』を書く前は、近江八景を題材にしたトラベルミステリーを書くつもりだった。石山寺へ行って、三井寺や堅田の浮御堂を見て……という、なかば観光旅行気分の軽さがあった。軽井沢から車で出掛け、彦根城と彦根市街を見物、守山市付近を通り、琵琶湖大橋を渡って、琵琶湖ホテルで編集者の宇山、阿部両氏と落ち合い、その夜は観光船ミシガン号で夜景を楽しみながらのディナー……と、ここまではお定まりの観光コース。そして翌日、浜大津へ向かう途中で問題の「幽霊ビル」に出くわした。

国道と湖に挟まれたかなり広大な敷地にそそり立つ十一階建ての異様なビルであった。鉄筋コンクリートの外装までは、ほぼ完了した感じである。これであとは窓をはめ込み、内装工事を終えれば、すぐにでも巨大ホテルとして営業が開始できる——と思えた。ところが、よく見ると、外壁にかなり傷みがきている。露出した鉄筋部分は赤く錆び、張り出し部分にはペンペン草が生えていた。もちろん、工事をしている気配があるどころか、人っ子ひとりの姿も見えない。そういう建物が、有刺鉄線に囲まれた敷地にデンと建っているのである。

あとで知ったことだが、このビルはなんでも昭和四十五年の大阪万国博覧会を当て込んで計画されたホテルなのだそうだ。施工主である会社が倒産して、建築なかばにして工事は中断、以後二十年近い歳月を、あたら風雨に浸食されるまま放置してあったらしい。まさにバブル経済崩壊のさきがけのような話である。そして、この「幽霊ビル」が『琵琶湖周航殺人歌』創作上の原風景になった。

その後の行程の中で、浮御堂近くのメタンガスが吹き出る掘割を見た。雄琴温泉のケバケバしい建物や看板も見た。大津プリンスホテルから見下ろした湖面に赤潮の帯が流れるのも見た。志賀の海は汚れ、病んでいた。書店で売っている郷土出版物の中にも、琵琶湖の汚染問題を憂い、あるいは訴えるものが少なくなかった。

こうして、観光気分の琵琶湖取材は、にわかにシリアスでシビアなものになってきた。ミシガン号の中で聴いた「琵琶湖哀歌」も、なんとなく琵琶湖の哀しい未来を暗示する御詠歌のように思えた。

琵琶湖の旅はわずか二泊三日だが、僕は百年分の重いテーマを抱えて軽井沢に帰ったのである。

*

『琵琶湖周航殺人歌』は「小説現代」誌上に三度にわたって連載された作品である。いま文庫化にあたって読み直してみて、なかなかよく書けていると自賛したい気持ちだ。とくに、取材の成果が、作品中にこんなにも十分に活用されていると、同行してくれた編集者氏にも申し訳が立つというものである。

独り旅のギャル。琵琶湖哀歌を歌う老人。夫殺しの疑いをかけられる美貌の未亡人。彼女を執拗に追う老練刑事……そのほかの登場人物もいきいきと描けている。そうして、わが浅見光彦が颯爽（さっそう）と登場する。

五十年の歳月を超えた愛憎・哀歓の織りなす人間模様を、笑うがごとく哭（な）くがごとくに眺める琵琶湖——は、不遜な言い方かもしれないけれど、浅見の目を通じた僕自身の視点でもあった。喜び悲しみ痛みを、琵琶湖や琵琶湖周辺に住む人々と共有するところから、この作品はスタートしたといえる。

1992年5月

著　者

●初出誌「小説現代」'89年9月号〜11月号　●単行本　講談社ノベルス'90年1月5日刊

琵琶湖周航殺人歌

内田康夫

1992年７月15日第１刷発行
1994年２月25日第７刷発行

発行者――野間佐和子

発行所――株式会社　講談社

東京都文京区音羽2-12-21　〒112-01

電話　出版部（03）5395-3510
　　　販売部（03）5395-3626
　　　製作部（03）5395-3615

Printed in Japan

デザイン――菊地信義

製版――大日本印刷株式会社

印刷――大日本印刷株式会社

製本――株式会社若林製本工場

講談社文庫

定価はカバーに表示してあります

落丁本・乱丁本は小社書籍製作部あてにお送りください。送料は小社負担にてお取替えします。なお、この本の内容についてのお問い合わせは文庫出版部あてにお願いいたします。（庫）

ISBN4-06-185186-1

講談社文庫刊行の辞

二十一世紀の到来を目睫に望みながら、われわれはいま、人類史上かつて例を見ない巨大な転換期をむかえようとしている。

世界も、日本も、激動の予兆に対する期待とおののきを内に蔵して、未知の時代に歩み入ろうとしている。このときにあたり、創業の人野間清治の「ナショナル・エデュケイター」への志を現代に甦らせようと意図して、われわれはここに古今の文芸作品はいうまでもなく、ひろく人文・社会・自然の諸科学から東西の名著を網羅する、新しい綜合文庫の発刊を決意した。

激動の転換期はまた断絶の時代である。われわれは戦後二十五年間の出版文化のありかたへの深い反省をこめて、この断絶の時代にあえて人間的な持続を求めようとする。いたずらに浮薄な商業主義のあだ花を追い求めることなく、長期にわたって良書に生命をあたえようとつとめるところにしか、今後の出版文化の真の繁栄はあり得ないと信じるからである。

同時にわれわれはこの綜合文庫の刊行を通じて、人文・社会・自然の諸科学が、結局人間の学にほかならないことを立証しようと願っている。かつて知識とは、「汝自身を知る」ことにつきていた。現代社会の瑣末な情報の氾濫のなかから、力強い知識の源泉を掘り起し、技術文明のただなかに、生きた人間の姿を復活させること。それこそわれわれの切なる希求である。

われわれは権威に盲従せず、俗流に媚びることなく、渾然一体となって日本の「草の根」をかたちづくる若く新しい世代の人々に、心をこめてこの新しい綜合文庫をおくり届けたい。それは知識の泉であるとともに感受性のふるさとであり、もっとも有機的に組織され、社会に開かれた万人のための大学をめざしている。大方の支援と協力を衷心より切望してやまない。

一九七一年七月

野間省一